C000108095

Ce

Dwy Genhedlaeth

Cefin Roberts a Mirain Haf

Siân Thomas

Argraffiad cyntaf—2004

ISBN 1 84323 384 3

ⓗ Siân Thomas

Mae Siân Thomas wedi datgan ei hawl dan
Ddeddf Hawlfreintiau, Dyluniadau a Phatentau 1988
i gael ei chydnabod fel awdur y llyfr hwn.

Dymuna'r cyhoeddwyr gydnabod cymorth
Cyngor Llyfrau Cymru.

Argraffwyd gan
Wasg Gomer, Llandysul, Ceredigion SA44 4JL

Cyflwyniad i'r gyfres

'Ife chi yw merch Tomos y Wern?'

Clywais y geiriau hynny ganwaith dros y blynyddoedd. Am wn i, roedd hynny'n rhan o'r job o fod yn ferch i weinidog adnabyddus.Wrth fynd yn hŷn, sylweddolais nad oedd yn gwestiwn a ofynnid i blant gweinidogion yn unig; rydyn ni fel Cymry'n ysu am wybod achau pawb – pwy ydi pwy, ac i bwy mae hwn-a-hwn neu hon-a-hon yn perthyn. Mae'r mwyafrif ohonon ni'n lico perthyn, hyd yn oed os nad ydyn ni'n arddel pob perthynas! Mae gwreiddiau'n bwysig i ni, ac mae teulu a bro yn dylanwadu'n fawr ar yr hyn ydyn ni.

Mae'n dipyn o jôc on'd yw hi bod pawb yn nabod pawb yng Nghymru, neu rŷn ni'n meddwl ein bod ni'n eu nabod nhw, ac mae hynny llawn cystal! Ond yn fwy na hynny, gan ein bod ni'n genedl fechan rŷn ni'n teimlo ein bod ni'n nabod pawb yn bersonol, neu o leia'n nabod rhywun, sy'n nabod rhywun arall, sy'n ffrind i'r person dan sylw! Fe gofiwch yr hen gân, dwi'n siŵr: *I danced with the boy who danced with a girl who danced with the Prince of Wales*.

Mae gan bob cenedl ei theuluoedd adnabyddus, lle mae dwy neu dair cenhedlaeth yn dilyn ôl traed ei gilydd. Er enghraifft, dyna'r Kennedys yng ngwleidyddiaeth America ac, yn fwy diweddar, George a George W. Bush. Wedyn dyna deulu'r Fairbanks a'r Douglases yn Hollywood, y Cusacks a'r Redgraves ym myd y theatr, i enwi ond ychydig o'r rhai mwyaf adnabyddus. Yma yng Nghymru mae yna 'nythaid o feirdd' (chwedl Gwenallt) a llenorion yn rhan o deulu'r Cilie, cerddorion a chantorion fel yr O'Neills, a llond hanner cae rygbi o Quinnells.

Yn sicr, mae natur y cyw yng nghawl pob un o'r teuluoedd yma, ond pa mor debyg, mewn gwirionedd, ydi'r ddwy genhedlaeth – y tadau a'r meibion, y mamau a'r merched, y rhieni a'r plant? Dyna drïwn ni ddarganfod yn y gyfres hon, ac wrth grafu ychydig ar yr wyneb, roi cyfle i chi'r darllenwyr wybod mwy am eu bywydau. 'Rŷn ni'n eu nabod nhw ta beth!' meddech chi. Wrth gwrs ein bod ni. Ond dyma gyfle, gobeithio, i'w nabod nhw fymryn yn well.

Nid cofiannau, na bywgraffiadau chwaith, gewch chi ar y tudalennau canlynol. Ar hyd y blynyddoedd, yn rhinwedd fy swydd fel cyflwynydd, dwi wedi cael y fraint o holi rhai cannoedd o bobl am ddwsinau o destunau. Ar raglen deledu a radio, fel arfer, dim ond rhan fach iawn o'r atebion fydd i'w clywed – dim ond y darnau perthnasol i'r pwnc trafod ar y pryd. Ond yn y cyfrolau hyn ceir dadansoddiad o sgwrs estynedig. Pleser pur oedd cael sgwrsio am bob math o bethau a chael rhannu'r sgwrs yn llawn gyda chithau'r darllenwyr. Dyma gyfle i chi glustfeinio, a does ond gobeithio 'mod i wedi holi'r hyn byddech chi wedi hoffi'i ofyn pe byddech chi yn yr ystafell gyda ni.

6

Cymeriadau'r gyfrol hon

Does dim ishe cyflwyno'r ddau sy'n wrthrych y gyfrol hon; mae'r naill a'r llall wedi bod yn wynebau cyfarwydd iawn ar lwyfannau cyngerdd ac eisteddfod ers blynyddoedd. A dweud y gwir, bron trwy gydol eu hoes. Dwi'n sôn yn y cyflwyniad i'r cyfrolau yma am deuluoedd fel y Redgraves a'r Cussaks. Wel, heb os, mae'r teulu hwn yn un o deuluoedd mawr y byd perfformio yng Nghymru – Rhian a Cefin, y rhieni, yn berfformwyr adnabyddus, sy bellach yn gyfrifol am Ysgol Berfformio Glanaethwy, a Tirion a Mirain yn wynebau cyfarwydd ar lwyfannau eisteddfod a'r sgrin fach.

Y tad a'r ferch sy'n cael y sylw'r tro hwn – Cefin, sydd bellach yn gyfarwyddwr artistig Theatr Genedlaethol Cymru, a Mirain, sydd wrthi ar hyn o bryd yn berfformwraig broffesiynol, â'i bryd ar serennu ar lwyfannau'r West End. Mae'r ddau wedi'u torri o'r un brethyn, fel petai, gyda gwaed y perfformiwr yn llifo trwy eu gwythiennau. Ar yr wyneb maen nhw'n debyg iawn, ond faint o ddylanwad gafodd y teulu ar Mirain, a beth yw teimladau Cefin wrth weld ei ferch yn mentro i fyd sy'n gallu bod yn ansicr, ar y gore, ac yn anodd iawn cynnal gyrfa ynddo? Ar y tudalennau nesa fe gawn ni rannu atgofion a chlywed gobeithion y ddau am y dyfodol.

'Caewch y drysau, cymerwch eich seddau, a rhowch berffaith chware teg i Cefin a Mirain!'

CEFIN ROBERTS

Tegwyn Roberts

Ganwyd: 28 Hydref, 1953

Man geni: Ysbyty Dewi Sant, Bangor

Addysg:
Ysgol Gynradd Llanllyfni
Ysgol Dyffryn Nantlle
Coleg y Drindod, Caerfyrddin
Coleg y Castell – Coleg Cerdd a Drama, Caerdydd

MIRAIN HAF

Tegwyn Roberts

Ganwyd: 2 Awst, 1981

Man geni: Ysbyty Bronglais, Aberystwyth

Addysg:
    Ysgol Gynradd y Garnedd
    Ysgol Tryfan
    Ysgol Glanaethwy
    Yr Academi Gerdd Frenhinol, Llundain

Cyflwyno
Cefin Roberts a Mirain Haf

*Dewch i ni ddechre gyda'r manylion personol –
dyddiad geni, man geni, a hanes y teulu.*

CEFIN: Yr wythfed ar hugain o Hydref 1953 yw
'nyddiad geni – cyn adeiladu Ysbyty Gwynedd, felly
fel y rhan fwyaf o blant Gwynedd ar y pryd, ces i
'ngeni yn Ysbyty Dewi Sant, Bangor. Fan'no
ganwyd Rhian a Tirion, hefyd, ond nid Mirain – mi

Cefin gydag Alan ei frawd

ddweda i fwy am hynny nes ymlaen. Mae gen i frawd hŷn, Alan, sy bellach yn athro Crefft, Dylunio a Thechnoleg yn Ysgol Bro Myrddin, Caerfyrddin.

MIRAIN: Ces i 'ngeni yn Ysbyty Bronglais, Aberystwyth, ar yr ail o Awst, 1981. Mae gen i frawd hŷn, Tirion, sy ar hyn o bryd yn gwneud cwrs cynllunio dodrefn yn High Wycome. Mae Dad bellach yn Gyfarwyddwr Artistig y Theatr Genedlaethol, a Mam yn rhedeg Ysgol Glanaethwy, ac yn dysgu yno. Ar y funud dwi'n gweithio'n rhan amser mewn tafarn yn Llundain i ennill fy mara

Mirain gyda Tirion ei brawd

menyn, tra'n chwilio am waith fel actores a chantores – mynd o gyfweliad i gyfweliad, ac o steddfod i steddfod!

CEFIN: Cefais fy magu yn Llanllyfni ar dyddyn bach o'r enw Tyddyn Difyr, a dwi'n licio'r enw'n ofnadwy – mae'r gair 'difyr' yn ddifyr ynddo'i hun yntydi? Tyddyn bach ydi o, o dan Gwm Silyn a Chwm Dulyn. Roedd fy nhad yn saer maen, ac yn cadw tipyn o ddefaid a ieir, ac yn tyfu ei lysiau ei hun yn yr ardd. Pan o'n i tua saith oed mi brynodd Mam siop yn y pentre.

Cefin gyda'i fam a'i dad

Roedd fy mam yn un o bedwar ar ddeg o blant, a fy nhad yn un o un ar ddeg, felly mae gen i dros hanner cant o gefndryd a ch'nitherod cynta – 'dan ni'n deulu anferth a deud y gwir, a 'dan ni'n dal yn deulu clòs, yn enwedig ar ochr fy mam. Mae'r teulu'n bwysig i Mirain a Tirion, hefyd. Bob blwyddyn ar ryw nos Sadwrn cyn y Nadolig, 'dan ni'n cael parti teulu – mae un o'r cefndryd neu'r c'nitherod yn ei drefnu, a 'dan ni i gyd yn dod at ein gilydd. Gan fy mod i bellach wedi colli Mam a Dad, mae'r parti'n bwysig, achos dach chi'n cael siarad amdanyn nhw, a dal i gofio amdanyn nhw fel rhan o'r teulu.

MIRAIN: Mae'n beth mor braf bod yn rhan o deulu mawr – dwi wrth fy modd efo'r teulu a dwi mor falch o fod yn perthyn. Mae'n rhaid dweud, er ei fod yn achlysur trist, dwi erioed wedi clywed ffasiwn ganu â chanu'n teulu ni mewn angladd ac, wrth gwrs yn y parti Dolig, mae 'na ganu mewn harmoni chwech – mae'n wych.

CEFIN: Roedd teulu Mam yn gerddorol – roedd Mam yn canu, ac o'dd ganddi ddeg o frodyr – pob un yn aelod o gôr meibion – ac roedd un ohonyn nhw'n Gadeirydd Côr Meibion Cymry Llundain, ac yn trefnu'r *1000 Male Voice Choir* yn Neuadd Albert. Wrth gwrs, mi roedden ni'n mynd lawr i'r noson, achos mi roedd y brodyr yn aelodau o'r gwahanol gorau yn y cyngerdd. Felly, fel y gwelwch chi, mae canu a cherddoriaeth wedi bod yn rhan o 'mywyd i erioed.

Roedd teulu 'nhad, hefyd, yn gerddorol, ond roedd y teulu hwn dipyn mwy cymhleth. Yn wahanol i deulu Mam, wedi dŵad i'r dyffryn i fyw oedden nhw. Roedd Nain yn dod o Gernyw, a hi oedd y pagan cyntaf yn Llanllyfni. Roedd ei phaganiaeth yn rhinwedd iddi mewn ffordd, ac roedd pawb yn ei galw hi'n 'Mrs Roberts Pagan'. Ond roedd fy nhaid, ar y llaw arall, yn eglwyswr mawr yn y pentre – ac yn cerdded fel sowldiwr i ganu cloch yr eglwys. Mae gynnoch chi ddeuoliaeth ryfedd, felly, yn nheulu fy nhaid – y fo'n eglwyswr pybyr, a Nain yn golchi stepan drws y ffrynt ar ddydd Sul, rhywbeth na fyddach chi ddim yn neud 'slawer dydd! Ond oherwydd ei phaganiaeth, doedd ganddi ddim cywilydd ohono fo, ac roedd hi'n ei wneud fel rhan naturiol o'i bywyd.

Mae'r cefndryd a'r c'nitherod ar ochr yma'r teulu wedi gwasgaru ar draws y byd i gyd, ac aeth nifer ohonyn nhw i'r de i weithio. Mi roedd dwy ochr y teulu, er eu bod o'r un dyffryn, yn wahanol iawn o ran anian, felly. O ochr fy nhad y daeth y gantores fydenwog yn ei dydd, Mary King Sarah o Dalysarn – mi fasa'r hen Gymry'n ei chofio hi'n iawn, mi roedd hi'n cydoesi â Leila Megane. Mae 'na stori amdani mewn steddfod ar droad y ganrif – Caernarfon, dwi'n meddwl. Roedd hi wedi cael llwyfan ar yr unawd soprano, ond cafodd *laryngitis*, ac o'dd ei mam wedi dweud bod ei hathro canu wedi dweud wrthi am beidio canu, felly cafodd ei chloi yn ei stafell fyny'r grisiau, i neud yn siŵr na fydde hi'n mynd i'r steddfod. Ond be nath hi oedd dengid drwy ffenest y bathrwm i stesion Penygroes, a mynd ac ennill yr unawd soprano, ennill y ddeuawd agored, a'r Rhuban Glas ar yr un diwrnod, a hithe efo *laryngitis*! Mi aeth hi i America i fyw pan oedd hi'n ifanc ac mi gasglodd pobol y Dyffryn arian a phrynu wats iddi. Mi weithiodd ym myd canu a sefydlu cymanfaoedd canu a ballu yn America.

Pan o'n i'n *boy soprano* tua un ar ddeg, deuddeg oed, ro'n i'n gneud cyngherddau, ac yn mynd lawr i Gaerdydd i ganu ar raglenni teledu gydag Alan Taylor ar TWW – ac yn mwynhau pob munud ohono fo. Wel, tua'r un cyfnod, a'm llais ar fin torri, daeth merch Mary King Sarah 'nôl i Gymru i olrhain ei hanes a chwilio am dylwyth. Roedd y wats yn dal ganddi, a bu hi'n mynd â hi o gwmpas y teulu. Mi laniodd ar yr aelwyd 'cw, a 'nghlywad i'n canu, a dyma hi'n rhoi'r wats i mi, achos roedd hi'n teimlo mai fi fasai'n cario'r baton cerddorol teuluol ymlaen.

Dwi'n cofio gwneud cyfweliad efo Harri Gwynn ar lan Llyn Nantlle, yn canu 'Titrwm Tatrwm', ac yn dangos i Gymru bod y wats rŵan wedi dod 'nôl – dyna oedd fy nghyfweliad teledu cyntaf. Mi wnaeth ei merch adael un peth arall diddorol i mi – roedd tiwtor canu ei mam yn danfon gwersi ati bob wythnos, ac mi roedd hi'n ffeilio'r rhain mewn llyfr, felly mae llyfr *voice training* Mary King Sarah gen i hefyd. Mae 'na ryw bendant bach ar y wats sy'n dweud iddi gael ei chyflwyno i Mary wrth iddi adael y Dyffryn, ac yn dymuno'n dda iddi yn ei bywyd newydd, felly mae hi'n *heirloom*, ac rydan ni'n falch iawn o'r wats fel teulu. Dwi'n teimlo bellach, gyda chysylltiad Mirain â'r canu, ei bod hi'n cario'r traddodiad yna ymlaen.

Beth am ddyddiau ysgol – oedden nhw'n rhai hapus, a phwy oedd y dylanwadau?

MIRAIN: Do'n nhw ddim ar y pryd, ond o sbio 'nôl, roedden nhw'n ddyddiau da, ac mi wnes i fwynhau. Mi wnes i ffrindia da yn yr Ysgol Feithrin – ffrindia sy'n dal i fod yn ffrindia gora. Roedd yr Ysgol Gynradd yn grêt – ro'n i'n cael canu a dawnsio

Parti Ysgol y Garnedd ar lwyfan yr Urdd.
Mirain, pedwerydd o'r chwith.

drwy'r dydd fan'na – ond roedd gas gen i godi'n fore a mynd i'r Ysgol Uwchradd a gwneud Maths a Gwyddoniaeth a phetha felly – doedd gen i ddim amynedd! Roedd fy ffrind penna a finna'n cael *get-away* gyda lot, dwi'n credu, ac yn ffindio pob esgus i beidio mynd i wersi. Mi wellodd petha ar ôl cyrraedd y Chweched Dosbarth, achos ges i wneud Cerddoriaeth, Cymraeg a Drama, a chael gwared o'r pyncia eraill. Roeddwn i'n ddigon bodlon â'r rheina.

Oedd hi'n hoffi un athro neu athrawes yn arbennig?

MIRAIN: Mrs Gwenda Davies yn Ysgol y Garnedd. Gan bod y flwyddyn uwch ein penna ni mor anferth, nethon nhw rannu'r flwyddyn, a gan 'mod i gyda'r ieuenga ces i aros efo Mrs Davies am ddwy flynedd. Roedd pob dim mor greadigol ganddi, a dwi'n cofio'r prosiectau gwych am dylwyth teg ac am yr ymfudo i Batagonia – ro'n i wrth fy modd.

Roedd gen i athrawes Cymraeg dda iawn yn y Chweched hefyd – Tegwen Llwyd – ac o'n i'n cael eistedd a chael panad a thrafod am oria. Roedd yn grêt bod y rhan fwyaf o'm ffrindia yn gneud Cymraeg hefyd, felly ro'n ni i gyd efo'n gilydd.

Beth am ddyddiau ysgol Cefin, oedd y rhain yn rhai hapus?

CEFIN: Ysgol Gynradd Llanllyfni, dan brifathrawiaeth y Cynghorydd Glyn Owen – dyn gweithgar ofnadwy, prifathro ymroddgar oedd yn mynd â ni i bob steddfod a chyngerdd. Roeddan ni allan ddydd a nos efo fo, a chanu oedd ei betha fo. Roedd Bryn Fôn a'i chwiorydd a finna yn yr un parti cerdd dant, ac roedd gynnon ni grŵp bach noson lawen hefyd, felly roeddan ni'n cael perfformio'n gyson. Dwi'n cofio i Ysgol Gynradd Llanllyfni ddod yn fuddugol yn Eisteddfod yr Urdd, Brynaman – peth mawr i ysgol mor fach yn y cyfnod hwnnw ac mi gawson ni aros ym Mrynaman, yn nhai pobol, a dod i nabod y gymuned. Roedd profiadau fel 'na mor bwysig – dod i nabod y wlad a chymunedau gwahanol ac ehangu gorwelion.

Dwi'n cofio diwrnod gadael Ysgol Llanllyfni, ac os ydi rhywun yn crio wrth ddod o'r ysgol, mae'n rhaid ei fod yn golygu rhywbeth mawr i chi!

Ysgol Dyffryn Nantlle, wedyn, a do'n i ddim yn academaidd o gwbl. Rhaid bod Mirain yn fy nilyn i, achos ro'n innau'n casáu'r rhan fwyaf o'r gwersi ar wahân i Gerddoriaeth, Cymraeg a Chelf. Mae'n debyg tasa modd i chi weld adroddiadau'r athrawon, byddech chi'n gwybod pam – 'Tydi Cefin yn trio dim'; 'Mi all wneud yn llawer gwell na hyn' – rhyw bethe fel'na o'dd yn cael eu dweud! Yn ysgol fach Llanllyfni, ro'n i'n cael fy ystyried yn weddol glyfar, ond wedyn mae rhywun yn mynd i ysgol uwchradd ac yn sylweddoli'n sydyn – 'dwi'm yn gwybod lot!' Unwaith i chi sylweddoli bod 'na lot o bobol yn well na chi yn rhywle, dydi rhywun ddim yn trio, wedyn.

Parti Ysgol Gynradd Llanllyfni yn ennill yn Steddfod yr Urdd, Brynaman. Cefin ar y chwith.

Mae aflwyddiannau'n magu aflwyddiannau, ac mae llwyddiant yn magu llwyddiant a hyder yn rhywun. Mae hynny'n theori bach gen i. Dwi wedi trio rhoi hyder i bobol ar hyd y blynyddoedd, yn enwedig y bobol ifanc dwi wedi gweithio efo nhw. Rydan ni fel cenedl yn bobol ddihyder – yn enwedig ym myd perfformio, yn enwedig yn y Gogledd, ac yn enwedig yn y wlad. Mae'n bleser sylweddoli pa mor naturiol o allblyg ydi plant y wlad, a phan maen nhw'n cael hyder maen nhw'n wefreiddiol. Gweld hwn neu hon yn blodeuo a thyfu a chofio mai fel 'na ro'n i.

Pan gyrhaeddais i'r hen *Form 4,* Blwyddyn Deg rŵan, daeth John Gwilym Jones i gyfarwyddo dramâu yr ysgol. Roedd rhaid mynd am gyfweliad am ran yn un o'r dramâu, ac ro'n i'n ysu am gael gwneud. Mi ddarllenais i John Gwil, cael rhan, ac o fan'na 'mlaen roedd addysg a Dyffryn Nantlle yn golygu llawer iawn mwy i fi. Roedd rheswm dros fynd i'r ysgol – ar wahân i bractis côr!

Er 'mod i yn yr hen *A stream*, ro'n i ar waelod y rhestr yn academaidd yn amal iawn, iawn, ac ro'n i'n cael row yn y rhan fwyaf o'r dosbarthiadau am glownio a chware o gwmpas. Dim ond fy marc mewn Cymraeg a Cherddoriaeth oedd yn fy nghadw i yn y dosbarth gora. Roeddwn i'n cael rhywbeth fel 8 allan o 100 mewn Cemeg – dim diddordeb – i be oedd rhywun ishe sugno rhyw betha drwy *bippette*! Roedd gen i fymryn mwy o ddiddordeb mewn *Human Biol*, ond o ran pynciau eraill – dim diddordeb – diog! Dwi'n meddwl bod hwnna'n wir am nifer o hogia. Unwaith es i i'r Chweched, ro'n i'n cael dewis Cymraeg a Cherddoriaeth fel pynciau, a ddim yn gorfod ymlafnio efo'r pynciau eraill yna. Ro'n i'n teimlo fy hun, wedyn, yn ailhadu fy niddordeb mewn bywyd, ac mewn academia.

Dwi'n deall yn iawn sut mae hogia a genod yn gallu syrthio ar fin y ffordd, os nad oes yna rywun i greu diddordeb ynddyn nhw. Roedd Mam yn dweud, 'Os na wnei di dynnu'r gwinadd o'r blew, mynd o gwmpas yn steddfota ac yn gwagio *dustbins* fyddi di', a rhywfodd rywsut, roedd hwnna'n creu ofn ynof fi. Diolch fyth fod yna rywun fel John Gwil oedd yn cyfarwyddo, a Matt Pritchard, yr athrawes Hanes, oedd yn cynhyrchu'r dramâu, i roi rhyw fath o ail enedigaeth i fi. Yr uchafbwyntia wedyn oedd steddfod yr ysgol a'r Urdd, Aelwyd yr Urdd a Chlwb Ieuenctid Llanllyfni, lle ro'n i'n drysorydd, yn ysgrifennydd, yn gadeirydd, trefnu gweithgaredda – ro'n i'n berson gweithgar os o'n i'n mwynhau'r gwaith, ond os oedd gen i ddim diddordeb, roedd y blincars 'na'n dod lawr. Dwi'n gwybod bod hynny'n ffaeledd ynof fi, a 'swn i'n gallu troi'r cloc yn ôl, fydda fo ddim yn digwydd – fel y rhan fwyaf o bobol sy'n teimlo iddyn nhw golli'r cyfle o wrando ar athrawon. Ond ar y llaw arall, falla bod 'na athrawon o'dd jest ddim yn tanio diddordeb ynof fi, a phlannu'r hadau yna yn eu pyncia nhw. Dwi wedi difaru 'mod i heb wrando mwy ar wersi Hanes – bydda hwnna wedi dod yn handi iawn yn y gwaith dwi'n neud rŵan, a Ffrangeg hefyd. Dwi wedi dechra ailgynnau'r fflam mewn ieithoedd, achos rŵan, drwy deithio i fyny ac yn ôl o'r gogledd i'r de, dwi wedi prynu CD i'w roi yn y car, a dwi'n trio dysgu Ffrangeg wrth deithio, ac yn cael tipyn o hwyl yn ynganu efo'r dyn ar y tapiau! Mae'n beth da i ehangu gorwelion – pam ddyla rhywun feddwl ei fod o wedi gorffen dysgu yn hanner cant oed?

Beth am ddyddie coleg – oedden nhw'n rhai hapus?

MIRAIN: Ar ôl Ysgol Tryfan ac Ysgol Glanaethwy, ces i 'nerbyn i wneud cwrs *Musical Theatre* yn yr Academi Gerdd Frenhinol yn Llundain. Cwrs ôl-radd o flwyddyn oedd o, o dan ofal Mary Hammond. Ces i 'nerbyn ar gwrs tair blynedd yn Mountview, a'r London School of Musical Theatre hefyd, ond ro'n i'n gweld fod yr adnoddau a'r cyfleusterau yn yr Academi gymaint gwell – roedd gynnon nhw eu theatr eu hunain yn y coleg a ballu, a fan'na ddewises i.

Roedd cael ei derbyn ar gwrs ôl-radd, a hithe'n mynd yn syth o'r ysgol, yn dipyn o beth. Roedd hi'n iau na phawb arall – oedd hyn yn anfantais iddi?

MIRAIN: Ro'n i'n bedair ar bymtheg pan ges i 'nerbyn, ac yn ugain oed yn dechra yno – pysgodyn bach iawn; roedd y gweddill ohonyn nhw'n ddwy neu'n dair ar hugain, ac wedi gwneud eu gradd, ond roedd y Coleg yn teimlo, achos y profiadau ro'n i wedi'u cael ar lwyfan a theledu dros y blynyddoedd, 'mod i wedi gwneud digon i gyfiawnhau lle ar y cwrs.

Ro'n i'n teimlo'n iau na phawb arall am fisoedd lawer, ac roedd gen i ofn pob dim – ddois i ddim allan o 'nghragen tan y misoedd ola, ond roedd gen i ffydd ynof fi fy hun. Dwi'n difaru tamed bach rŵan

24

'mod i heb fynd yno efo llond dwrn o hyder ond, ar y pryd, roedd gen i gymaint o ofn pawb a phopeth.

Pam?

Dwi ddim yn gwybod. Mae pobol yn synnu 'nghlywed i'n dweud hyn, ond does gen i ddim llawer o hunanhyder. Mae gen i hyder ar lwyfan – dwi'n poeni dim am hynny – ond 'sgen i ddim llawer o hyder ynof fi fy hun oddi ar y llwyfan. Ro'n i'n clywed fy hun yn ymddiheuro o hyd am rywbeth neu'i gilydd ond, ar ôl tipyn, mi ddois i i

Magdalen. *Mirain yn chware rhan Siân Alaw.*

25

werthfawrogi'r profiad yn fawr. Roedd gen i brofiad blynyddoedd o waith yng Nglanaethwy a *Rownd a Rownd*, ac wedi eu gweld nhw, a *Bara Caws,* wrthi'n cyflwyno sioeau. Roedd hwnna'n brofiad amhrisiadwy, a gallwch chi ddim cael digon o hynny. Pan ddois i i weithio ar y sioeau yn y coleg, ro'n i'n edrych ar bobol o 'nghwmpas i, nifer ohonyn nhw'n bod yn amaturaidd iawn mewn ymarferion ac ati, a dechra sylweddoli 'mod i'n gallu gwneud cystal, os nad gwell, na rhai ohonyn nhw. Mi syrthiodd y geiniog yna o'r diwedd, ond mi gymerodd hi tua chwe mis i mi sylweddoli hynny.

Bu'r rhan fwyaf o'i phrofiad hi trwy gyfrwng y Gymraeg. Oedd gweithio'n y Saesneg yn rhyfedd iddi?

MIRAIN: Oedd, mi roedd y busnes iaith yn anodd ar y dechra, a dwi'n meddwl mai fi oedd ar fai fan'na. Achos 'mod i'n ofni gwneud camgymeriad mewn gramadeg Saesneg, wnes i jest ddim dweud bw na be am wythnosau, jest rhag ofn basa'r peth anghywir yn dod allan o 'ngheg i. Dwi'n cofio trio esbonio rhywbeth mewn un wers, ac o'n i ddim yn gwybod beth oedd 'goslefu' yn Saesneg, felly dyma fi'n dweud, *'Can I just phone home to see what that word is in English?'* a dyna wnes i!

Roedd 'na foi o Argentina a hogan o Sweden ar y cwrs hefyd – roedd eu Saesneg nhw, a lot o bobol eraill, yn waeth na fi, ond achos fy mharanoia i wnes i ddim sylwi ar hynny am dipyn. Ond wedyn, ar ôl gwrando, nes i feddwl, 'Ew, dydi fy Saesneg i ddim mor ddrwg â hynny, chwaith', ac mi gariais i 'mlaen fel o'n i.

Oedd coleg yn bopeth roedd hi'n disgwyl iddo fod, a shwd brofiad oedd bod mewn coleg lle roedd pawb yn anelu at yr un nod – perfformio?

MIRAIN: Oedd, o ran beth dwi wedi'i ddysgu, mi roedd o yr hyn ro'n i'n ddisgwyl – dwi'n gwybod 'mod i'n well yn dod o 'na nag o'n i'n mynd i mewn! Dwi wedi dysgu lot o sgiliau – canu, dawnsio, actio – ac mi wnes i lot o ffrindia yno hefyd. Ro'n i'n hapus iawn yna. Roedd hi'n deimlad braf bod pawb yn anelu at yr un nod, ond a dweud y gwir, dwi wedi bod yn lwcus iawn i gael cymaint o gefnogaeth dros y blynyddoedd. Mae gen i gylch o ffrindia ers dechra Ysgol Tryfan sy wedi bod yn gefnogol iawn, a ddim yn sbio'n rhyfedd arna i achos 'mod i isio perfformio. Ar ôl dweud hynny, mi roedd hi'n braf bod yng nghanol pobl oedd isio gwneud yr un peth, a ddim yn dweud bo chi isio dangos eich hun.

Oedd hi'n mwynhau bywyd Llundain?

MIRAIN: Dwi'n dal i fod wrth fy modd yn Llundain, ac yn joio'r bywyd ar y funud – nid 'mod i wedi gallu cymryd mantais o bopeth sy o 'nghwmpas i, ond dwi'n licio bod yn ei chanol hi. Dwi'n rhannu tŷ efo criw o Gymry Cymraeg, hefyd, sy'n grêt, felly 'dan ni i gyd yn siarad Cymraeg pan ddown ni adra. Ond dwi YN licio mynd adra – lot!

CEFIN: Es i am gyfweliad i'r Coleg Cerdd a Drama yng Nghaerdydd – Coleg y Castell oedd o bryd hynny – gan 'mod i eisiau bod yn ganwr, ond ces i hunllef o gyfweliad a meddyliais yn siŵr 'mod i wedi cael fy ngwrthod. Es i am banad i'r ffreutur ar ôl y cyfweliad, yn chwys lathar, a dwi'n cofio meddwl 'Nid fa'ma dwi i fod', ac er i mi gael fy nerbyn yno, mi wrthodes i'r cynnig, a mynd am gyfweliad i'r Coleg Normal, Bangor. Ces i 'nerbyn fan'na, ond wnes i ddechra teimlo, er 'i fod o'n lle difyr i fod ynddo, 'mod i'n rhy agos at adra, ac y bydda Mam yno bob *weekend* efo sana glân! Roedd fy mrawd yng Ngholeg y Drindod, Caerfyrddin, ac ro'n i'n nabod rhai pobl yno drwyddo fo. Ro'n i hefyd yn clywed sôn am Norah Isaac, ac efo 'niddordeb ym myd y ddrama, penderfynais dynnu 'nghais yn ôl o'r Normal, a thrio fel *late applicant* i'r Drindod. Ro'n i'n poeni erbyn hyn falle bo fi ddim yn mynd i gael lle yn yr un coleg, gan 'mod i wedi 'dili-dalian' gymaint, ac ro'n i'n ysu, bellach, i gael gadael cartra a lledu'n adenydd. Wel, ces i 'nerbyn i'r Drindod, a mwynhau'n fawr yno. Roedd 'na griw ohonon ni, yn griw bach Norah Isaac – Lleisiau Llên – yn mynd o gwmpas yn perfformio cyflwyniadau llafar, anterliwtiau, dathlu diweddariad o'r Testament

Newydd, ac ati. Dwi'n meddwl ein bod ni wedi perfformio yn y mwyafrif o gapeli Cymru efo Norah, ac mi osododd hynny sylfaen wych.

Bues i'n lwcus iawn i gael gweithio efo pobol fel Norah yn y Drindod, a John Gwilym Jones yn Ysgol Dyffryn Nantlle – chewch chi ddim gwell na nhw. Roedden nhw'n debyg mewn nifer o ffyrdd – ystyr brawddeg, ac enaid cymeriad, dyna'r ddau beth yr oedden nhw'n gweithio fwyaf arno fo, a sŵn iaith. Roedd Norah'n dweud bob amser bod y Cymro'n fwy sensitif – dan ni'n 'clywed' poen, ac mi roedd ei sensitifrwydd hi a John Gwil bron yn tarddu o'r un lle. I mi, roedd Norah'n tanlinellu'r hyn roedd John Gwil wedi'i ddysgu i ni, ond yn ei danlinellu'n gywrain iawn, ac yn ei ehangu fo – ei gwneud hi'n llinell fwy. Ac, wrth gwrs, roedd ganddi'r wybodaeth ddiwaelod yna. A dyna 'nghân fawr inna bellach – dwi'n teimlo os ydach chi isio bod yn actor trwy gyfrwng y Gymraeg, yna dylai fod yna elfen o hyfforddiant trwy gyfrwng y Gymraeg, boed hynny yn yr ysgol neu'r coleg. Dwi'm yn dweud bod rhaid cael tair blynedd o gwrs uniaith Gymraeg, ond mae angen dysgu am sŵn a theimlad yr iaith. Dwi'n colli Norah'n fawr, ac yn amal yn teimlo fel ei ffonio hi i ofyn hyn a'r llall. Dwi newydd ddod yn berchennog ar y tŷ lle bu Norah'n byw yng Nghaerfyrddin – 'Llwybrau', a fan'na bydda i'n byw tra 'mod i lawr yn y de – felly mae'n llwybrau ni'n dal i groesi, ac mae hynny'n beth braf.

Roedd cyfnod Coleg y Drindod yn gyfnod

gwleidyddol iawn hefyd – oes y protestio, oes y carcharu – a ches i farestio fwy nag unwaith ym mhrotestiadau'r sianel. Un tro roedden ni'n stopio ceir yn Whitehall yn Llundain, a daeth *mounted police* i'n gwahanu ni ac, wrth gwrs, allan o'r miloedd oedd yn protestio, ro'n i'n un o'r hanner cant gafodd eu harestio! Wrth i mi wagio 'mhocedi yng ngorsaf yr heddlu, dim ond polo mint a dwy geiniog oedd gen i, a dyma'r plismon yn dweud '*Surely you've got more money than that, Mr Roberts!*' a dyma finne'n dweud '*No I haven't, I'm afraid*'. '*Then I'll have to arrest you for being a vagrant!*' Roedd rheol yn Llundain ar y pryd, yn dweud na allech chi gerdded strydoedd y ddinas heb hyn o hyn o arian yn eich poced – rhyw reol, am wn i, i dynnu'r *tramps* a phobl oedd ar y stryd, i mewn. Felly mi dreuliais i noson dan glo am fod yn drempyn – a finne'n aelod o Gymdeithas yr Iaith! Ro'n i'n ffeindio'r cyfan mor ddigri. Noson yn unig dreuliais i dan glo – yn anffodus; talodd Mam fy nirwy achos doedd hi ddim isio i fi fynd i'r carchar. Mi wnaeth nifer o rieni hynny ar y pryd hefyd, ac mi wnaeth Mam yr un peth eto ar ôl i mi gael fy nal yn meddiannu tŷ haf.

Ar ôl y Drindod, es i o'r diwedd i'r Coleg Cerdd a Drama – ar gwrs ôl-radd Cymraeg y tro hwn – ac roedd criw difyr ohonon ni yno 'run pryd. Ac er bod yno nifer o ddarlithoedd ysbrydoledig, dwi'n meddwl ein bod ni'n griw oedd yn dylanwadu ar ein gilydd.

Gawson ni gynnig mynd yn actorion craidd i'r Cwmni Theatr Cymru gwreiddiol, efo Wilbert Lloyd

Roberts, a derbyn hyfforddiant fan'no fel actorion proffesiynol. Doedd Norah ddim yn *keen*, achos roedd hi isio i mi fynd yn athro, ond mynd wnes i, a dwi bellach yn ddiolchgar i'r diweddar Wilbert am y cyfle – fo oedd y dylanwad nesaf arna i. Roedden

Golygfa o bantomeim Rasus Cymylau
i Gwmni Theatr Cymru

ni'n gweithio dan ymbarél Theatr Antur, ac yn cael ysgrifennu ein sioeau'n hunain, a pherffformio mewn ambell i bantomeim.

Roedden ni'n cael ein hymestyn yn actorion ifanc iawn. O fan'na, wedyn, i Theatr yr Ymylon, a Theatr Crwban, ac o fan'na i gyfresi dramâu HTV a chyflwyno rhaglenni fel *Ffalabalam*.

Pryd cydiodd y dwymyn berfformio ynddyn nhw?

MIRAIN: Dwi'm yn cofio 'mod i isio gwneud dim byd arall. Roedd Nain yn yr ysbyty'n amal iawn pan o'n i'n ifanc, ac ro'n i'n deud 'mod i isio bod yn nyrs. Ond y gwir amdani yw 'mod i jest isio gwisgo i fyny mewn dillad nyrs, a wedyn mynd yno i ganu! Ro'n i wastad yn licio gwisgo i fyny a chanu, a wir, dwi ddim erioed wedi bod isio gwneud dim byd arall – perfformio oedd y nod o'r dechra un.

CEFIN: Wel, pan o'n i'n hogyn yn Lanllyfni, ro'n i wrth fy modd yn chwara tennis, criced, athletau – unrhyw chwareuon haf – ond pan ddaeth hi'n aeaf a ffwtbol wel, '*Not my scene at all!*' felly ro'n i'n ffeindio fy hun yn difyrru fy hunan gyda phetha eraill. Nos Lun roedd gen i wersi gitâr, nos Fawrth, piano, nos Fercher, adrodd, nos Iau, *voice training* (a weithiau ro'n i'n cael mynd i Lerpwl i gael gwersi llais), ac ro'n i'n cael gwersi tap ar nos Wener, a dawnsio *old time*, a wedyn steddfod neu gyngerdd ar nos Sadwrn. Byddai Mam yn trefnu bod rhywun yn

32

edrych ar ôl y siop iddi, ac mi fydda hi'n aros amdana i yn ddefodol y tu allan i'r ysgol, gyda phorc pei a brechdan a diod o lefrith, ac i ffwrdd â ni i rywle. Dwi'n cofio un diwrnod, pan o'n i tua wyth neu naw oed, roedd y *Girl Guides* yn cwrdd yn y *Church Room*, ac roeddan ni'n chwarae cuddio. Es i i guddio y tu ôl i neuadd yr eglwys, a chlywed y genod yn canu '*We are the red men tall and quaint, in our feathers and war paint, pow wow.*' Ro'n i wedi fy mesmereiddio ganddyn nhw, yn sbio drwy'r ffenest, yn hollol eiddigeddus, ac yn meddwl, 'Pam nad ydi hogia'n cael gwneud petha fel'na?'

Dwi'n cofio meddwl, 'Dwi am roi'r cyfle i 'mhlant – genod a hogia – wneud rhywbeth fel'na ryw dro.'

Do, mi es i i Goleg y Drindod, a hyfforddi i fod yn athro, ond dwi'm yn meddwl mai athro o'n i isio bod – ro'n i'n 'i weld o'n ormod o garchar. Peidiwch â 'nghamddeall, mae fy edmygedd yn fawr tuag at athrawon, a dwi'n meddwl eu bod nhw'n gwneud y job bwysica'n y byd, ond doedd o ddim i fi. Doedd cyflwyno ddim i fi, chwaith, er i mi wneud digon ohono fo, gan gynnwys fy rhaglen sgwrsio fy hun. Dwi'n cofio edrych yn ôl ryw dro ar rywbeth ro'n i wedi'i gyflwyno ar y teledu, a meddwl, 'Mae hwnna'n *pathetic,* Cefin! Mae 'na bobol fedar wneud gymaint gwell na chdi' – a dwi'n ddigon gonest efo fi fy hun i wybod hynny.

A deimlodd y naill neu'r llall eu bod wedi cael eu gwthio?

CEFIN: Roedd gen i frawd ddeudodd 'Na' pan oedd o'n wyth oed, a nath o ddim ar ôl hynny. Roedd Mam yn mwynhau mynd â fi o gwmpas i ganu, ond roedd hi'n annog, byth yn gwthio, ac mae isio anogaeth ar blant. Mae 'na bwynt yn dŵad lle mae ffin dena rhwng anogaeth a gwthio, ond annog oedd Mam bob amser. Theimlais i erioed 'mod i'n cael fy ngorfodi i wneud unrhyw beth do'n i ddim isio.

MIRAIN: Do'n i ddim yn gwneud yr holl *circuits* eisteddfodol yna. Mae 'na rai pobol mewn steddfod yn rhywle bob penwythnos, a dwi'n meddwl, 'Chware teg iddyn nhw', ond dwi ddim yn meddwl 'swn i'n mwynhau cystadlu 'swn i wedi'i neud o mor amal â hynny. Roedd hi'n neis gneud y rhai lleol, ond heblaw am y rheiny, dim ond Steddfod yr Urdd a'r Genedlaethol, a'r Ŵyl Gerdd Dant bues i ynddyn nhw, ac roedd hynny'n ddigon, achos dwi ddim yn hoffi ymarfer. Ond ar ôl cyrraedd yno ro'n i'n mwynhau ac isio gwneud pob dim.

CEFIN: Dwi'n cofio Mirain yn ennill ar y llefaru dan wyth yn Steddfod yr Urdd, Merthyr Tudful – 'Y lein ddillad' oedd y darn prawf, a phump oed oedd hi bryd hynny. Roedd hi'n t'wynnu ar y llwyfan, yn t'wynnu mewn mwynhad, ac roedd hi'n amlwg wrth ei bodd yno – fan'na roedd hi mwya cartrefol.

MIRAIN: Dwi erioed wedi cael fy ngwthio i wneud dim – fi oedd isio mynd ar lwyfan, a dwi'n cofio

Mirain yn ennill yn Eisteddfod yr Urdd, Merthyr Tudful

cystadlu ar yr Unawd Cerdd Dant pan o'n i'n dair
oed. Yr eisteddfod oedd y llwyfan cyntaf i mi, a bues
i'n canu, dawnsio, llefaru – pob dim – a mwynhau!
Mam oedd yn dysgu canu a Dad yn dysgu'r llefaru
ac actio. Mae bod ar lwyfan yn deimlad mor naturiol
i mi, achos wnes i ddechra mor ifanc, ond dwi ddim

yn disgwyl dim byd, dwi jest yn falch 'mod i yno, yn cael pobol yn gwrando arna i, ac yn mwynhau. Cael gneud fy ngneud sy'n bwysig, nid ennill, a dyna sy'n braf am wneud sioeau cerdd – cael ymateb cynulleidfa.

Tegwyn Roberts

Mirain yn hudo'r gynulleidfa yng nghystadleuaeth yr Adroddiad Digri yn Eisteddfod Genedlaethol Tyddewi, 2002.

Dwi wedi bod yn lwcus iawn – mae gan nifer o bobol jobsys di-ddiolch ofnadwy, dydyn nhw ddim yn mwynhau. Dwi'n gwybod bod lot yn rhoi'r gorau i'w breuddwyd yn ifanc iawn, a jest rhoi fyny, ond dwi'n lwcus 'mod i wedi cael cymaint o gefnogaeth gartra a gan fy ffrindiau – fu dim rhaid i fi ofyn am gefnogaeth erioed. A maen nhw 'run mor gefnogol o 'mrawd, sy'n cynllunio dodrefn – maen nhw'n gefnogol i bawb, dwi'n meddwl. Dwi'n credu ei bod yn bwysig mynd amdani, a gwneud beth dach chi isio. Dydi o erioed wedi croesi 'meddwl i i drio gneud unrhyw beth ond perfformio – 'sneb erioed wedi deud wrtha i i feddwl am drio rhywbeth saffach, felly dwi am drio'i gwneud hi. Os na wna i lwyddo, o leia bydda i wedi trio 'ngora.

CEFIN: Mi ddigwyddodd *Hapnod* pan o'n i'n gweithio efo Theatr Crwban, hefo Ann, merch Wilbert, a Gwyn Vaughan. Roedd Ann yn chwarae gitâr a Gwyn yn denor arbennig o dda, ac roeddan ni'n licio grwpia harmoni clòs, fel y Swingles a'r King Singers. Dechreuon ni ganu yn y bar efo'n gilydd, a phenderfynon ni chwilio am bedwerydd llais. Roedden ni'n ymarfer yn tŷ ni, a gofynnon ni i Rhian ganu rhan y soprano i weld a oedd yr harmoni'n gweithio – doedden ni ddim wedi meddwl am Rhian fel y pedwerydd, ond mi weithiodd yn berffaith. Ar ôl performio tipyn o gwmpas Cymru cawson ni wahoddiad i neud ambell i *Raglen Hywel Gwynfryn*, ac yna mi ddatblygodd Ruth Price ni i mewn i ryw

fath o grŵp cyfryngol, efo Gareth Rowlands yn
cyfarwyddo. O fan'na daeth y cyfresi hynny yn
nyddiau cynnar S4C. O fan'na, hefyd, y daeth Rhian
a finne'n bartneriaid proffesiynol.

Daeth *Hapnod* i ben, a dwi ddim cweit yn gwybod
pam, ond dwi'n meddwl, o edrych yn ôl, i ni dorri'r
cyfan yn ei flas – er bod yna brotestio gan lot o'r
gwylwyr, sy'n dal i ofyn 'Pryd mae *Hapnod* yn dod
'nôl?' Roedd o'n brofiad arbennig iawn – roedden ni

Hapnod

wedi gweithio gyda chyfarwyddwyr cerdd da iawn, coreograffwyr da a ballu, ac mi roedden ni wedi ehangu'n gorwelion ar y cyfresi hynny. Es i wedyn i weithio efo Theatr Bara Caws, oedd yn gyfnod pwysig iawn yn fy mywyd, yn datblygu sgriptia, cyfarwyddo, a chael cyfle i fod yn rhan o *ensemble* o bobl oedd yn creu eu sioeau eu hunain. Daeth fy nghyfnod efo nhw i ben yn naturiol, gan 'mod i'n teimlo 'mod i wedi llosgi hynny o gyfraniad o'n i'n gallu'i neud iddyn nhw ar y pryd. Ro'n i wedi cyfarwyddo sioe ieuenctid i Eisteddfod yr Urdd yn Nyffryn Nantlle, a daeth lot o blant ifanc ataf ar ôl y sioe a dweud, 'Pam na allwn ni neud mwy o hyn?' Mi ddeudodd Rhian – 'Pam na wnawn ni ddechre ysgol berfformio?' Felly hi oedd *Mrs Motivator* Glanaethwy, does dim dwywaith am hynny. Dyna lle y dechreuodd petha.

O wybod beth mae e'n wybod nawr, fydde fe wedi neud pethe'n wahanol gyda Glanaethwy?

CEFIN: Basa hynny wedi bod yn amhosib, achos doedd gen i ddim *template* i weithio arno fo – roedd rhaid i mi neud petha'n hollol arbrofol, achos doedd 'na neb arall yn gneud hyn. Dwi wedi licio bod yn rhan o rywbeth newydd erioed – roedd *Hapnod* yn beth newydd, Bara Caws yn newydd ar y pryd, ac felly hefyd y Theatr Genedlaethol yma. Roedd sefydlu Glanaethwy yn gyfnod o *hit and miss* – gorfod ymdopi efo'r gwrthwynebiad oeddan ni'n wynebu ar y pryd, sef bod yr ysgol yn breifat, yn herio, ac yn gystadleuaeth i ysgolion eraill, ac yn y blaen. Ond dwi'n difaru dim, achos dwi'n meddwl bod Glanaethwy erbyn hyn wedi profi'i hangen, ac wedi profi ei safon ei hun, a does dim angen ei hamddiffyn hi bellach. Doedden ni ddim yn sylweddoli ar y pryd gymaint o gefnogaeth oedd yna i'r syniad o'r cychwyn – eich gelynion sy wastad yn uchel eu cloch a'r cefnogwyr yn amal yn dawel. Ar y dechre roedd *paranoia*'n golygu 'mod i ddim yn gwrando ar y gefnogaeth, ond diolch amdano, achos wedyn ro'n i'n gallu magu hyder o ddydd i ddydd. Rŵan mae gynnon ni staff arbennig o dda yng Nglanaethwy, sy wedi cymryd yr awenau, ac sy bellach yn helpu Rhian i ysgwyddo'r baich mawr. Wrth gwrs, mi fydda i'n rhoi help llaw iddyn nhw rŵan ac yn y man, i gadw'r momentwm i fynd, ond dwi'n meddwl bod Rhian yn mwynhau'r her o fod yn ymdopi heb i mi fod yna, a'r sialens o brofi y medar hitha 'i neud o, a dangos nad Cefin Roberts oedd pob dim i Lanaethwy!

Roedd Mirain ar lwyfan cyn ei geni.

CEFIN: Roedd Mirain yn Llanelli efo fi ychydig yn ôl, ac wrth i ni basio Theatr Elli dyma fi'n deud, 'Dwi isio i ti sbio ar y *kiosk* yna, achos fan'na o'n i'n ffonio dy fam pan ddeudodd hi wrtha i bod hi'n dy ddisgwyl di – fan'na clywais i am dy fodolaeth di gynta!' Ro'n i'n perfformio yn Theatr Elli ar y pryd.

Bu Rhian yn perfformio efo *Hapnod* drwy gydol ei beichiogrwydd. Dwi'n ein cofio ni mewn cyngerdd yn y Bala, pan oedd Rhian yn saith mis – falla mai dyna pam mae Mirain yn canu rŵan! Roedd rhai fel y Spice Girls yn meddwl mai nhw oedd y cynta i fynd ar lwyfan efo bolia mawr! Roedd Tirion, wrth gwrs, yn gorfod dod i bob *venue*, a phob ymarfer – roedd 'na amser, dwi'n siŵr, pan oedd o'n casáu'r peth. Roedd Mirain mewn *carrycot* ymhob un ymarfer, achos doedd gynnon ni ddim *nanny* ar y pryd. Cawson ni *nanny* yn hwyrach ymlaen pan gawson ni gynnig yr holl gyfresi yna. Cyn hynny, dymi a phot o fêl amdani – dipio'r naill yn y llall i gau ceg Mirain, a'n hegwyddorion yn mynd allan drwy'r ffenest!

Roedd y ffaith bod Rhian wedi gweithio reit at adeg geni Mirain yn un rheswm pam na chafodd ei geni ym Mangor, fel gweddill y teulu. Roedd mis i fynd, ac roedd y ddau ohonon ni wedi bod mewn priodas. Yn ystod y wledd dyma Sion Eirian yn gofyn iddi a gâi o dwtsio'i bol. 'Watsia di,' meddai Rhian, 'y tro diwetha wnest ti hynny, mi gath Tirion ei eni bron yn syth!' Wel, ar ôl y briodas, roedden ni'n gyrru i Aberystwyth, achos mi roeddan ni'n perffromio efo Theatr Cymru yn Theatr y Werin. Aethon ni i gasglu Tirion, oedd wedi bod efo Mam ym Mhorthmadog tra oedden yn y briodas, a bwcio i mewn i westy'r Queensbridge. Arhosodd Rhian yn y gwesty ac es i i'r ymarfer. Pan gyrhaeddes i 'nôl i'r gwesty, roedd Rhian ar y gwely yn gwingo. Roedd gweddill y cast mewn gwesty arall, ond roedd Wilbert a Beti, ei wraig, yn y stafell drws nesa i ni. Torrodd dŵr Rhian, felly gadawson ni Tirion efo Beti, ac aethon ni am Ysbyty Bronglais yn syth. Ac ar yr ail o Awst, yn Aberystwyth, fis yn gynnar, mi landiodd Mirain Haf. Ar ôl gadael y ddwy yn cysgu yn yr ysbyty, es i 'nôl i'r gwesty a thaflu *chippings* at ffenest Wilbert i'w ddeffro, a dweud wrth Tirion bod ganddo fo chwaer fach. Trannoeth, aeth y ddau ohonon ni i eistedd ar y traeth a thra oedd Tirion yn chwara yn y dŵr, mi ysgrifennais i hwiangerdd i Mirain – fel y gwnes i Tirion pan gafodd o ei eni.

Dy alaw di, fy Mirain,
Fel awel canol haf
Ddaw'n ysgafn ac yn ddistaw
I'th suo i drwmgwsg braf.

Dy felodi, fy Mirain,
Fel ton ar draethell draw,
Ddaw 'nôl o Geredigion
I'th gadw di rhag braw.

Dy suo-gân, fy Mirain,
Fel pob rhyw gân y crud
Ddaw'n galon, corff ac enaid,
Nawr cwsg, a gwyn dy fyd.

42

Ydi'r diléit perfformio yn Tirion hefyd?

CEFIN: Ydi. Mae o ar hyn o bryd yn Llundain yn gwneud cwrs mewn cynllunio dodrefn, ond mi ddwedodd ychydig yn ôl, 'Dwi'n dal i fwynhau actio, wsti'. Mae o'n gomedïwr da, a ddim yn sylweddoli hyd a lled ei dalent fel perfformiwr. Cafodd ymateb da iawn i'w gymeriad, Mal, yn *Rownd a Rownd*, ond 'sdim cweit cymaint o hyder ar lwyfan ganddo fo â Mirain. Dwi'n meddwl bod o'n actor arbennig o dda, ond faswn i ddim yn newid ei drywydd i ddod yn ôl i berfformio, oni bai ei fod yn dŵad 'wrtho fo. Mae'n amlwg fod gwaed y saer yn ei wythienna fo hefyd – roedd Dad yn saer maen, ac mae 'mrawd yn athro Crefft, Dylunio a Thechnoleg. Mae Tirion yn awyddus i gario 'mlaen efo'r cwrs a gwneud BA mewn cynllunio dodrefn, a phob hwyl iddo fo – mae'n bwysig bod rhieni'n cefnogi'u plant beth bynnag maen nhw isio neud.

Beth yw atgofion plentyndod Mirain?

MIRAIN: 'Sgen i ddim un atgof clir, ond dwi'n cofio lot o chwerthin, a lot o chware gêms – roedd dychymyg Mam a Dad mor fyw, a dwi'n meddwl eu bod nhw, hefyd, wrth eu boddau. Byddai'r pedwar ohonon ni'n chwerthin am oria. Fel pob brawd a chwaer am wn i, roedd Tirion a finna'n ffraeo – ro'n i wastad yn 'deud' am fy mrawd, a chario clecs amdano fo, ond 'dan ni'n ffrindia mawr erbyn hyn.

'Dan ni wastad wedi bod yn deulu agos, ac yn ffrindia mawr, yn enwedig rŵan.

Oedd hi'n sylweddoli bod ei mam a'i thad yn gwneud gwaith gwahanol i rieni eraill – yn berfformwyr?

MIRAIN: Na, dwi ddim yn meddwl 'mod i, achos fel nifer o blant, o'n i'n arfer mynd rownd Maes y Steddfod a gofyn am lofnodion pobol adnabyddus. Dwi'n cofio gweld pobol yn gofyn i Dad am ei lofnod, a methu deall pam. Do'n i ddim yn ei weld o'n unrhyw beth arbennig.

CEFIN: Mi roedden ni'n trio amseru'n gwaith fel bod Rhian gartra pan o'n i'n gweithio, a finne gartra pan oedd Rhian yn gweithio, ond roedd yna adegau pan oedd y plant yn gorfod bod yn y gwersi, ac yn gwylio pobol eraill yn perfformio. Dwi'n cofio'r ddau ohonyn nhw'n drist pan o'n i'n gadael Bara Caws – roeddan nhw'n deud, 'Fyddan ni ddim yn blant Bara Caws rŵan!' Erbyn hyn dwi'n meddwl eu bod yn ystyried eu hunain yn fwy fel plant Glanaethwy – maen nhw wedi gorfod eistedd trwy oria o wersi plant eraill fan'na hefyd, ac roedd Glanaethwy'n gymaint o ran o'u bywydau nhw ag oedd o o'n bywydau ni ar y pryd. Mae'n braf eu bod nhw wedi gallu bod yn rhan o'r holl beth, hefyd. Gobeithio'u bod nhw wedi mwynhau'r profiadau.

Mirain gyda Dad

MIRAIN: Roeddwn i wrth fy modd, yn enwedig pan oedd Dad yn gneud sioeau Bara Caws. Roedd Tirion, Lisa Jên a finne'n gwybod bob gair o'u sioeau nhw, pob rwtîn, pob cân, ac roedden ni'n trio'u perfformio nhw'n hunain – a meddwl bod ni'n gneud yn dda, 'te! Ond doeddan ni ddim!

Pan ddechreuodd Glanaethwy, roeddan ni'n mynd efo Mam a Dad, ac eistedd am oriau yn gwatsiad. Chwara teg, roedden nhw'n rhoi jobsys bach i fi – bod yng ngofal ambell 'brop', er enghraifft. Wedyn ro'n i'n teimlo bod gen i swyddogaeth, ac ro'n i wrth fy modd.

Oedd hi'n ysu am fod ar y llwyfan yn hytrach nag yn edrych ar eraill?

MIRAIN: Dwi'n dal felly bob tro dwi'n mynd i berfformiad – dwi isio bod yno'n rhan o'r peth yn fwy na dim.

Pa fath o blentyn oedd Mirain – beth yw atgofion Cefin ohoni?

CEFIN: Cariad bach annwyl, annwyl – byw yn ei byd bach ei hun, yn creu storis drwy'r amser, isio gafael drwy'r amser, isio sylw drwy'r amser. Weithiau, 'mond Dad wnâi'r tro, a weithiau roedd rhaid cael Mam.

Ydi'r berthynas rhyngddyn nhw wedi newid dros y blynyddoedd, yn enwedig o gofio eu bod nhw'n gyfarwyddwr a pherfformwraig weithiau, yn ogystal â thad a merch?

CEFIN: Dwi'n meddwl mai dyna fasa Mirain yn ddeud wrthach chi, achos pan dach chi'n athro, mae angen trin pob disgybl yr un fath, ac ar adegau mae hynny'n anodd iawn, iawn, achos mae'n rhaid i chi ymddangos dipyn yn fwy llym ar eich plant eich hun, yn enwedig os ydyn nhw'n torri rheolau ac ati. Dwi'n gwybod 'mod i wedi bod yn or-llym arni weithiau, neu falla'n canmol llai nag y dylwn i, ac mae hi wedi fy atgoffa fi o hynny droeon. Ond rydach chi'n gallu neud iawn am hynny ar eich aelwyd eich hun – mi fedrwch chi fod yn fwy gwrthrychol deg wedyn. Yn sicr, o flaen dosbarth, roedd y berthynas yn newid, ond dwi'n siŵr bod hynny'n wir am bob athro sy'n dysgu ei blentyn – mae'n rhaid ffindio'r tegwch yna mewn sefyllfa sy'n amhosib, bron. Yn ystod hen gyfnod yr arddegau 'na, mae rhywun yn teimlo bod rhaid gwrthod rhai petha – 'Na, chei di ddim gneud hynna!' ond cyfaddawdu hefyd – 'Cei, gei di neud hynna' – ac mae 'na ambell glash yn siŵr o ddigwydd. Beth sy'n braf rŵan, wrth i Mirain a Tirion fynd yn hŷn, ydi eu bod yn dod yn nes, ac maen nhw'n dod i ddeall bywyd. Wnaeth Rhian a fi ddim cynllunio i gael plant yn ifanc, ond dwi'n gweld ei fantais o rŵan, achos 'dan ni'n gallu bod yn ifanc efo nhw mewn cyfnod mor bwysig yn eu bywydau. Dydi'r gagendor rhyngddon ni ddim yn fawr, a 'dan ni'n gallu bod yn ffrindiau, yn ogystal â rhieni sy'n caru eu plant. Weithiau mae jest yn neis bod yn y nyth a sbio ar y tri ohonyn nhw – Rhian, Tirion a Mirain, a gwerthfawrogi be sy gen i, a be sy'n cyfri go-iawn.

MIRAIN: Roedd pawb yn gofyn o'n i'n cael ffafriaeth – *'Oh! My God!'* Ro'n i'n gorfod gneud y gwaith, a gneud pwynt bod 'na ddim ffafriaeth, a fi oedd wastad yn cael y row! Ar adegau ro'n i'n teimlo 'mod i'n gorfod gweithio gymaint mwy caled na phawb arall, ond dwi'n deall pam rŵan. Wnaeth o ddim byd ond lles i mi yn y diwedd – erbyn hyn

Y pedwar gyda'i gilydd ar ddiwrnod graddio Mirain

dwi'n deall bod angen gweithio'n galed, a phrofi eich hun drosodd a thro, os ydach chi isio bod y gora fedrwch chi. Mam a Dad oedd y dylanwad mwyaf arna i. Ro'n i'n rhy ifanc i'w cofio nhw'n perfformio llawer – dechreuon nhw Glanaethwy pan o'n i'n ifanc iawn, ac roedd Dad yn cyfarwyddo mwy erbyn diwedd cyfnod Bara Caws, felly fel cyfarwyddwr dwi'n ei gofio fo fwyaf. Doedd dim modd gneud drama fel pwnc yn Ysgol Tryfan; roedd rhaid mynd i Lanaethwy i neud o, felly Mam a Dad oedd fy athrawon drama i, a rhaid eu bod wedi dylanwadu arna i. Mi ddysgon nhw, a'r Steddfod, i mi bod rhaid derbyn beirniadaeth, a derbyn barn, felly pan dwi'n mynd i gyfweliad rŵan, dwi'n dod oddi yno'n meddwl, 'OK. Rhaid bo fi ddim yn iawn ar gyfer y sioe yna – dydi o'n ddim byd personol.' Mae jest rhaid derbyn hynny. Mae'n anodd weithiau peidio mynd yn ddigalon, yn enwedig pan dach chi wedi bod am fisoedd heb ddim, ond wedyn taswn i ddim wedi cael ambell ran, a mwynhau, debyg y baswn i wedi rhoi'r gora iddi. Mi ddysgais i'n ifanc bod siom yn rhan o natur y gwaith yma – mae'n rhaid derbyn, a chario 'mlaen – *grin and bear it!*

'Dan ni'n deulu hapus, ac mae gweld yr ochr ddoniol wastad yn help – dwi wedi etifeddu hynny gan y teulu. 'Dan ni'n emosiynol iawn hefyd – dwi'n cofio pan o'n i'n fengach, chwerthin am Mam a Dad yn crio am bethe fel *Surprise! Surprise!* a hen ffilmia, a meddwl, 'Dwi ddim yn mynd i grio rŵan!'

49

Dyslecsia – *Theatr Gwynedd, Ebrill 2001.*
Mirain gydag Owain Edwards ac Emyr Gibson.

Dwi'n mwynhau perfformio gymaint, a dyna dwi
isio neud – dyna 'mreuddwyd i, a dwi'n lwcus 'mod
i'n cael dilyn fy mreuddwyd, a chael canu a dawnsio
ar lwyfan. Y mwynhad yna sy'n fy ysbrydoli a
'ngyrru i 'mlaen. Er 'mod i'n dal yn ifanc, mae fy
magwraeth i wedi 'mharatoi i ar gyfer cymaint o
brofiadau, a dwi'n trio dod â'r elfen theatrig a'r elfen
bersonol yna i fewn i beth bynnag dwi'n neud.

Oedd hi'n teimlo'i bod hi'n gorfod rhannu Dad a Mam gyda phlant eraill?

MIRAIN: Na, ddim o gwbl. Dwi wedi teimlo weithiau baswn i wedi licio'u cael nhw adra fwy, achos maen nhw wastad mor brysur – pan o'n i'n mynd adra o'r coleg, roedden nhw wrthi'n ymarfer a ballu, ond dyna natur y busnes, a dwi wedi cael fy magu yn hynny, felly faswn i ddim yn newid dim. Yr unig le ro'n i'n ei chael hi'n anodd oedd ar Faes y Steddfod pan o'n i'n iau – mae pawb yn eu nabod nhw ac yn siarad efo nhw – roedd hi'n cymryd diwrnod cyfan i fynd rownd y Maes! Dyddiau hynny, hefyd, roedd pawb yn fy nabod i fel merch Cefin a Rhian, ond wrth fynd yn hŷn, a chystadlu fy hun, dwi'n berson fy hun. Erbyn hyn dwi'n cwrdd â ffrindiau, gadael i Mam a Dad grwydro a siarad, a chyfarfod efo nhw bob rhyw ddwy awr am baned.

Ydi hi wedi etifeddu rhinweddau da neu ddrwg?

MIRAIN: Dwi wedi etifeddu pob dim! Dwi'n gymysgedd o'r ddau ohonyn nhw yn sicr. Dwi'n styfnig, fel Dad, a fasa fo ddim yn licio cyfaddef hynny, dwi'n siŵr, a dwi wedi etifeddu eu hiwmor nhw, a'r modd y maen nhw'n gweld bywyd. 'Sgen i ddim cymaint o gyts â nhw – nid bod gen i broblem trio petha newydd, ond dwi'n mynd ati'n ara deg bach, tra bo nhw'n neidio i mewn. Dwi'n ofnadwy o falch ohonyn nhw a'r hyn maen nhw wedi'i neud dros y blynyddoedd.

Weithiau bydda i'n gwneud rhywbeth a dwi'n meddwl, 'O, dwi'n troi fath â Dad'. Dwi'n anghofio petha, a cholli petha – dwi'n ofnadwy am anghofio copi, a wedyn dwi'n mynd i banic. Pan dwi'n gneud petha felly, dwi'n gweld fy hun yn debyg ofnadwy i Dad. Dwi'n ffrind triw, ac yn berson sy'n gwrando'n dda iawn, ac yn hynny o beth dwi'n debyg iawn i Mam a Dad – mae ffrindia'n bwysig iawn i ni fel teulu. Pan enillodd Dad y Fedal Ryddiaith yn y Steddfod ym Meifod, a finna'n cael darllen darn o'i waith ar y llwyfan, ro'n i y tu hwnt o falch ohono fo. Roedden ni i gyd yn rhan o'r gyfrinach fawr, ac roedd hi'n anodd ofnadwy cadw'n dawel, yn enwedig yn ystod wythnos y Steddfod.

Shwd ffeindiodd Cefin yr amser, gyda chymaint o bethe ar ei blât, i ysgrifennu nofel?

CEFIN: Daeth *Brwydr y Bradwr* ata i mewn ffordd ryfedd – ro'n i'n meddwl mai *scenario* ar gyfer Glanaethwy o'n i'n ysgrifennu. Daeth yr awen heibio'r tro cyntaf yng Ngŵyl y Faenol, Bryn Terfel, yn y noson Gymraeg. Ro'n i'n mwynhau ac yn cael rhyw wydraid neu ddau o win, ac wedi ymlacio'n llwyr, a falle bod angen ymlacio cyn daw'r syniadau gora, ac mi ddaeth y syniad mwya sydyn. Ro'n i wedi gwneud *Animal Farm* efo Glanaethwy ryw ddeng mlynedd ynghynt, ac wedi mwynhau hynny'n

Y ddau ar lwyfan Seremoni'r Fedal Ryddiaith yn Eisteddfod Meifod, 2003

Wyn Jones: Lluniau Llwyfan

fawr, ond ro'n i'n teimlo 'mod i ar drywydd rhywbeth gwahanol iawn i Orwell a *Squealer*. Dwi'n byw efo tri llysieuwr, er nad oes gen i mo'r egwyddor – dwi'n gynnyrch tyddyn, ac wedi byw gyda lladd ieir ac ati a heb gwestiynu'r peth, ond dwi'n byw yng nghanol y ddadl ynglŷn ag anghyfiawnder i anifeiliaid, ac mae gen i gonsyrn, fel gweddill y teulu, am lygredd a'r amgylchedd a'r hyn sy'n digwydd i'n byd. Ro'n i'n nabod anifeiliaid fferm, a'u hanian nhw, ac yn nabod cymdeithas cefn gwlad, achos cymdeithas Llanllyfni sy'n cael ei hadlewyrchu yn y nofel, 'sdim dwywaith am hynny, ac maen nhw'n cynrychioli cymdeithas yn gyffredinol – ei rhinweddau a'i ffaeleddau, a'r modd rydan ni'n cam-drin y ddaear. Bydd rhaid i ni dalu'r pris am hynny ryw ddiwrnod – yn anifeiliaid ac yn bobol. Es i ati wedyn, pan o'n i yn Nulyn, i ddechre sgrifennu'r syniad ar ryw bapur brynes i ar frys, cyn i'r deialog ar cymeriadau fynd o 'mhen i. Des i adra a phori dros yr hyn o'n i wedi sgrifennu, a meddwl, 'Mae 'na sioe fan hyn!' ond na, roedd rhywbeth arall hefyd, ac o dipyn i beth dyma'r darnau'n disgyn i'w lle.

Ro'n i wedi ennill y Fedal Ddrama flwyddyn ynghynt yn Nhyddewi – seremoni yn Theatr Fach y Maes oedd honno, oedd yn hyfryd, gyda llaw, ond dwi'n brwydro i'r seremoni honno gael bod yn y Pafiliwn, i ni gael anrhydeddu'n dramodwyr yn ogystal â'n llenorion eraill. Feddyliais i erioed y baswn i'n ysgrifennu nofel, heb sôn am ennill y

54

Fedal Ryddiaith, a chael sefyll ar fy nhraed i ganiad y Corn Gwlad – mae hynny'n werthfawrogiad gwahanol i unrhyw berfformiad. Dwi'n meddwl falla bod nifer o bobol yn y Pafiliwn wedi cael andros o sioc, a meddwl, 'Dim hwn eto fa'ma!' ac roedd hynny'n sbort ynddo'i hun. Roedd cadw'r gyfrinach am fisoedd yn andros o anodd, achos mae'r nofelwyr yn cael gwybod o flaen y beirdd, oherwydd bod 'na waith gweithio efo'r cyhoeddwyr a ballu, ond roedd y teulu'n gwybod, ac roedd Norah'n gwybod. Yn anffodus bu hi farw'r Sul cyn y seremoni, felly dwi'n falch ofnadwy 'mod i wedi deud wrthi.

Ydi Mirain yn dilyn ei thad pan ddaw hi i ysgrifennu?

MIRAIN: Na, dydi'r grefft yna ddim gen i, yn anffodus, sy'n drueni, ond dwi'n licio potsian efo cyfansoddi. Mae Huw, sy'n rhannu tŷ efo fi, yn astudio'r piano yng Ngholeg Kings, ac mae o wrthi'n cyfansoddi bob dydd, ond potsian wrth y piano fydda i. 'Dan ni'n dŷ o berfformwyr sy'n Gymry Cymraeg yma yn Llundain, ac mae pawb wrthi drwy'r dydd yn perfformio, canu, actio, a wedyn 'dan ni'n dod adre a jest mwynhau.

Roedd hi'n rhyfedd pan symudodd Fflur Wyn a finna i'r un tŷ, achos doedden ni ddim wir yn nabod ein gilydd – cyfarfod am 'chydig ddyddiau bob steddfod, dyna'r cyfan. Er bod y ddwy ohonon ni wedi mynd i faes perfformio, mae'n llwybrau ni wedi mynd i gyfeiriadau gwahanol, ac mae'n lleisiau ni'n gwbl wahanol erbyn hyn. Mae'r ddwy ohonon ni'n brysur, a 'chydig o amser 'dan ni'n gael efo'n gilydd, ond os oes 'na gyngerdd yn dod i fyny, 'dan ni'n ymarfer tipyn efo'n gilydd bryd hynny.

Ydyn nhw'n difaru unrhyw beth, a phe bydde modd troi'r cloc yn ôl, fasen nhw'n neud unrhyw beth yn wahanol, neu'n newid pethe amdanyn nhw eu hunain?

CEFIN: Dwi'n gallu edrych yn ôl ar y rhan helaethaf o 'mywyd a theimlo'n ddiolchgar. Tasa rhywun wedi deud wrtha i pan o'n i'n ifanc 'mod i'n mynd i gael bod yn actor gyda Chwmni Theatr Cymru, 'swn i wedi gwirioni; tasa rhywun wedi deud 'mod i'n mynd i fynd yn rhan o grŵp oedd yn un o lwyddiannau cynnar sianel deledu Cymru, 'swn i wedi bod wrth fy modd; tasa rhywun wedi deud 'mod i'n mynd i fod yn rhan o rywbeth fel Theatr Bara Caws, a chreu cwmni theatr fy hun, fel petai, o fy mhen a 'mhastwn fy hun, 'swn i ddim wedi'u coelio nhw; tasa rhywun wedi deud 'mod i'n mynd i agor ysgol ddrama, 'swn i wedi chwerthin yn eu gwynebau nhw, ac adeiladu ysgol, hyd yn oed, 'swn i'n sicr ddim wedi'u credu nhw; tasa rhywun wedi deud 'mod i'n mynd i fod yn gyfarwyddwr artistig y Theatr Genedlaethol gynta mae Cymru wedi'i chael, 'swn i'n meddwl bo nhw'n wallgo; a tasa rhywun wedi dweud 'mod i'n mynd i ennill y Fedal Ddrama a'r Fedal Ryddiaith o fewn blwyddyn i'w gilydd, baswn i'n deud bod Santa Clôs wedi bod yn ddyn ffeind iawn iawn iawn wrth un person. Dwi'n teimlo braint ac anrhydedd o fod wedi cael byw bywyd mor llawn, ac wedi cael teulu gwych wrth fy ochr. Dwi'n ddiolchgar iawn i'r holl bobl sy wedi dylanwadu arna i, ac sy wedi fy annog, yn hytrach na 'ngwthio i, ac sy wedi fy nghefnogi.

MIRAIN: Dwi'n trio penderfynu rhywbeth a pheidio difaru os nad eith petha'n iawn, ond dydi hwnna ddim yn rhwydd bob tro. Dwi'n siŵr baswn i'n gwneud lot o betha'n wahanol, ond manion betha ydyn nhw ond wedyn, erbyn meddwl, faswn i ddim yn fi taswn i'n gneud petha'n wahanol. Baswn i wedi licio mynd i'r coleg yn fwy hyderus – baswn i'n licio 'sa gen i fwy o hyder ynddo fi fy hun. Baswn i'n licio taswn i'n gallu neidio i mewn i sefyllfa a gwybod, 'Mi fedra i neud hyn, ac mi fedra i wneud hwnna', ond dwi ddim yn berson fel'na – dwi'n ymddiheuro drwy'r amser. Baswn i'n licio newid hynna ond, ar y cyfan, dwi'n eitha bodlon efo'r math o berson dwi wedi troi allan i fod. Taswn i wir yn gallu troi'r cloc yn ôl, 'swn i'n licio taswn i wedi gallu rhwystro marwolaeth Gethin, fy ffrind, gafodd ei ladd mor erchyll mewn damwain – basa'n braf ei gael o yma efo fi heddiw.

CEFIN: Dwi'n difaru na ddwedes i'n ddigon aml wrth fy rhieni gymaint ro'n i'n eu caru a'u gwerthfawrogi, achos nhw, yn sicr, fu'n bennaf

57

cyfrifol am greu beth bynnag ydw i, a baswn i'n licio deud hynny wrthyn nhw rŵan. Dwi'n meddwl 'mod i wedi bod yn fab gweddol driw iddyn nhw, a dwi ddim yn edifar am hynny, ond dwi ddim yn meddwl 'mod i wedi dangos digon iddyn nhw gymaint o'n i'n gwerthfawrogi eu bod nhw, allan o symylrwydd a thlodi eu bywyd, allan o'r ffaith bod nhw'n blant y rhyfel, ac wedi colli allan ar betha, wedi llwyddo i roi darnau o'r jigsô cymhleth yma at ei gilydd a chreu nyth bach pwysig i 'mrawd a fi gael symud a thyfu ynddo fo. 'Swn i'n licio 'swn i wedi diolch iddyn nhw'n well. Mi welson nhw'r petha 'swn i wedi licio iddyn nhw weld, ac roedd Mam yn ofnadwy o falch o bob dim ro'n i'n neud. Roedd hi'n meddwl y byd o Rhian – roedd Rhian a finne'n caru ers *Form One*, felly i Mam roedd Rhian fel un o'r teulu, a hi a gwraig Alan, fy mrawd, fel dwy ferch iddi.

Os rhywbeth, roedd balchder Mam yn rhy fawr ar adegau. Roedd hi mewn cyflwr truenus yn y diwedd, yn dioddef o *gangarene*, wedi cael ampiwtatio'r ddwy goes, a chael strôc, ond roedd hi'n *fighter* tan y diwedd. Roedd hi'n amser emosiynol iawn ar ôl iddi golli'r ail goes, ac mi es i i fod efo hi, i ddal ei llaw fel bod hi'n gweld wyneb cyfarwydd wrth iddi ddeffro. Ar ôl deffro roedd hi'n gwneud rhyw siâp rhyfedd â'i cheg ac yn amlwg isio dweud rhywbeth, ac yn cael trafferth dweud y geiriau. Dyma fi'n deud, 'Mam, be sy? Mae o drosodd ac mae popeth yn iawn, oes rhywbeth yn bod?' Yn y diwedd dyma hi'n

Diwrnod priodas Cefin a Rhian. Hydref 1976

cael y geiriau allan – 'Mae'r dyn 'na dros y ffordd isio dy *autograph* di!' Dyna fel mae mamau, yntê, yn llawn o'r balchder yna sy'n eich embarasio chi ar adegau, a fel 'na fuodd Mam erioed.

Ydi e'n gwneud 'run peth â'i blant ei hun?

CEFIN: Nac'dw, achos 'mod i wedi bod drwyddo fo gymaint fy hun. Dwi'n cadw'r balchder yna'n dynn at fy nghalon, ac yn gofalu, pan dwi'n cymeradwyo, 'mod i ddim yn cymeradwyo mwy nag i neb arall. Ond dwi'n rhiant, ac mae o'n beth hollol naturiol i deimlo'r *extra*, pan mae'ch plant eich hun yn eich plesio chi, ac yn gneud petha dach chi'n mwynhau eu gweld yn gneud. Ond faswn i ddim yn eu rhoi nhw drwy'r artaith yna o'u rhoi ar ben cadair a dweud, 'Cana hwnna i Anti Dora!' – wnes i erioed mo hynny.

Ydyn nhw'n mynd yn flin am bethau?

MIRAIN: Nadw, ddim wir. Mae petha'n ypsetio fi weithiau, fel pobol yn fy ngadael i lawr, a dwi'n mynd yn flin am hynny, ond ar y cyfan dwi'n berson eitha hawdd, dwi'n meddwl. Os dwi'n teimlo'n ddigon cryf am rywbeth, mi wna i frwydro drosto fo, a dwi'n meddwl mai'r Gymraeg sy'n creu'r teimladau mwya tanbaid. Mae'n bwysig iawn i mi, ac mi wna i unrhyw beth i drio gwella'i sefyllfa. Pan o'n i yn y coleg, roedd un hogan yn fy ngalw i'n *ambassador for Wales*, achos 'mod i wastad yn dod â phwyntiau yn ôl at yr iaith Gymraeg, a sefyllfa Cymru. Roedd pobol jest ddim yn deall, a ddim yn sylweddoli beth oedd sefyllfa'r iaith, ac yn dychryn o wybod fel oedd pethe wedi bod, a'r holl frwydro sy wedi bod dros yr iaith. Bob tro dwi'n gweithio yn y dafarn yn Llundain, mae pobol yn holi be ydi fy acen i, ac isio gwybod am y Gymraeg, felly dwi'n trio 'ngora i'w cael nhw i siarad ychydig eiriau, a deall beth ydi'r sefyllfa.

CEFIN: Os ydw i'n gweld anghyfiawnder, mae'n rhaid i mi ymateb. Mae brwydr yr iaith wedi bod yn rhan bwysig iawn o 'mywyd i – dwi wedi meddiannu tŷ haf, ac wedi peintio waliau'r Swyddfa Gymreig fel rhan o brotest Cymdeithas yr Iaith; dwi wedi gwrthod talu trwydded teledu yn rhan o'r brotest ddiweddara hefo Cylch yr Iaith, a dwi hefyd yn aelod o Cymuned, achos dwi'n credu yn hynny i gyd.

Mae bod yn Gymro heddiw yn sialens ac yn her aruthrol. Mae gynnon ni ffasiwn ffaeleddau fel cenedl, a 'dan ni i gyd yn ymwybodol ohonyn nhw, yn deud amdanyn nhw, ac yn cwyno amdanyn nhw, ond be 'san ni'n neud hebddyn nhw! 'Dan ni ddim yn rhai da am gefnogi'n gilydd, a hyrwyddo'n gilydd, felly sut mae disgwyl i'r byd ein hyrwyddo ni, os 'dan ni ddim yn dda iawn am werthu'n hunain? Dwi ddim bob amser wedi llwyddo i fod y protestiwr 'swn i wedi licio bod, a dwi'n eiddigeddus o'r rheini sy wedi bod yn ddigon cadarn a chryf i wthio'u protest i'r pen. Dwi'n brotestiwr pybyr, tawel. Mae nifer wedi dweud wrtha i 'mod i'n berson gwrthsefydliadol fy ffordd – ddim cymaint yn gwthio yn erbyn y drefn, ond yn gwthio ffiniau, a hwyrach fy mod i.

Ydyn nhw'n dal dig ac yn cwympo mas am bethau?

MIRAIN: Dad oedd yn cael y job o roi row bob tro ro'n i'n gneud rhywbeth o'i le, achos roedd Mam yn rhy annwyl, ond dwi ddim yn cofio ffraeo efo fo erioed. Rydan ni'n dadlau ac anghytuno am betha, ond dwi'n meddwl bod hynny achos ein bod ni'n gymaint o ffrindiau, ac mae ffrindiau'n mynd i ddadlau ac anghytuno o dro i dro. Dwi'n gallu dal dig weithiau, ond dim ond am ychydig, a dwi'n trio peidio gadael i 'nicter bara'n rhy hir. Dydi Dad byth yn dal dig.

CEFIN: Fedra i ddim cofio amser pan gawson ni ffraeo go-iawn – rydan ni fel y rhan fwyaf o bobol, yn ffraeo am betha *silly* ar adegau, ond byth am unrhyw beth mawr. Fedrwn ni ddim dal dig fel teulu – mae'n rhaid clirio petha os oes rhywbeth yn y ffordd. Yr unig amser mae Mirain a finne'n 'clashio' ydi pan mae'r ddau ohonon ni'n diodde o *stress*, ac mae petha'n cael eu cymryd y ffordd anghywir. Mae pob teulu'n cael cyfnoda fel'na o bryd i'w gilydd, ond 'dan ni'n ormod o ffrindia i adael i betha gwirion fel 'na bara'n hir – baswn i'n casáu meddwl 'mod i fan hyn a hithe yn Llundain, a bod 'na awr yn pasio a'n bod ni wedi ffraeo – mae bywyd yn rhy fyr. 'Dan ni erioed wedi'i neud o, ac erioed wedi gwahanu yn teimlo'n flin.

MIRAIN: 'Dan ni'n debyg iawn, yn rhy debyg dwi'n meddwl, o ran personoliaeth – gallwn ni gario 'mlaen yn *brilliant*, a chael lot o hwyl am oriau, ond os ydi un ohonon ni ddim yn y mŵd iawn i gymryd y llall, 'dan ni'n anghytuno, ond neith o byth bara'n hir.

CEFIN: Dwi'n cofio un adeg, ac mae o'n dal i dorri 'nghalon i wrth feddwl amdano fo. Ro'n i'n gweithio fel *freelance* ers talwm, ac yn dod lawr i Gaerdydd yn amal, ac yn aros mewn gwesty neu efo ffrindia a ballu. Bob tro byddwn i'n gadael o stesion Bangor, bydda Mirain yn crio ar y platfform, ac roedd o'n rhwygo 'nghalon i. Felly 'nes i ddeud wrthi basa'n well i ni ddeud ta-ta yn y tŷ, ac iddi beidio dod i'r stesion, am ei fod yn ormod iddi. Roedd hi tua pump neu chwech oed ar y pryd. Wel, mi roedd hi'n crio'n waeth wedyn. 'OK,' meddai un diwrnod, 'dwi'n addo peidio crio os ca i ddod i'r stesion,' ac i ffwrdd â ni. Roedd hi'n trio bod yn hapus, ac yn gwenu a deud, 'Drycha Dad, dwi ddim yn crio,' ond pan welodd y trên yn dŵad trwy'r twnnel o Gaergybi, dyma hi'n rhoi'r wên fach yma a rhedeg ataf a deud, 'Ta-ta, Dad, dwi'n gwenu!' Wrth gwrs, fel ro'n i'n rhoi cusan i Rhian a Tirion, gyda Mirain yn fy mreichiau, dyma deimlo'r deigryn bach poeth yma'n rhedeg lawr fy mrest, a chlywed y tawelwch. Ro'n i'n teimlo mor euog – meddwl 'mod i'n mynd a'u gadael nhw.

Ond peth fel 'na ydi'r job yma – rydach chi'n gorfod dysgu mynd, a rŵan mae hi wedi dysgu mynd ei hun. Bob tro 'dan ni'n gadael – fi i fynd i'r de i'r gwaith, a hitha i Lundain – 'dan ni'n dal i deimlo'r un hiraeth yna; dim isio mynd, a gorfod mynd – mae o mor emosiynol, ond fasach chi ddim yn rhiant tasach chi ddim yn mynd trwy'r emosiynau hynny. Dwi'n trysori'r eiliada hynny, ac yn dal i deimlo'r deigryn poeth yna ar fy mrest. Byth ers y dyddiau hynny, alla i ddim diodde'i gweld hi'n crio, a finna'n methu rhoi balm ar y briw.

Beth ma' Cefin yn ei edmygu fwya ym Mirain?

CEFIN: Ei chariad hi. Rydan ni i gyd angen cariad, ac mae hi'n gallu'i roi yn hael iawn, iawn a dwi'n edmygu'r ffordd y mae hi'n ymddwyn tuag at bawb. Mae ganddi gariad at ei phroffesiwn, at ei hiaith, at ei gwlad, a'n gwyliau cenedlaethol. Mae hi wedi bod yn ffyddlon a thriw i'r sefydliadau Cymreig, ac wedi rhoi o'i thalent, yn onest ac yn ddidwyll iawn. Mae hi wedi bod yn gystadleuwraig dda, ac wedi gwneud ffrindiau o bobol fasa wedi gallu bod yn elynion ar lwyfan cystadleuol. Mae hi wedi bod yn lwcus ei bod wedi cydoesi â phobol o'r un anian â hi, ac wedi gwneud ffrindiau mawr efo nifer ohonyn nhw, ac mae hynny'n beth braf iawn.

MIRAIN: Dwi ddim yn gallu dehongli cariad – alla i ddim ei roi o mewn geiriau, ond dwi'n gwybod 'mod i mewn cariad ar y funud, ac ers bod mewn cariad, mae fy emosiynau wedi codi i'r wyneb, a dwi'n crio am y peth lleia.

Beth am ddiddordebau'r ddau – oes amser i'r rheiny?

CEFIN: *Antiques* ydi'r diléit mawr – *art deco, art nouveau*, efydd, Doulton, creiriau Cymreig – dwi'n dwlu ar y cwbwl lot. Mae o'n wendid, fel salwch, bron; alla i ddim pasio siop hen greiriau. Pan dwi'n gweld siop o'r car, dwi'n rhoi nhroed ar y brêcs, ac mae Rhian yn dweud, 'Cefin, 'dan ni'n hwyr yn barod!' Dwi'n licio siopau'n gyffredinol, yn enwedig siopau dillad. Dwi'n lico chwaraeon hefyd – athletau, tennis, badminton – mae gen i lot o ddiddordebau ac, wrth gwrs, darllen.

Mae 'na hoff awduron, fath â Mario Vargas Llosa, a fy hoff lyfr ydi *Aunt Julia and the Scriptwriter*. Mae 'na rywbeth am y ffordd mae o wedi cael ei ysgrifennu. Hanes y dyn yma yn y pedwardegau, pumdegau, yn America Ladin – cefndir poeth, a gwres i'r holl beth, a thlodi a chyfoeth. Mae o'n sgwennwr opera sebon i'r radio, ac mae penodau o honno bob yn ail yn y llyfr. Mae o dipyn bach yn gymhleth ar y dechra, ond dwi'n licio straeon fel'na – y stori'n hawdd i'w deall, ond y llinyn arian yn anoddach i'w ddilyn. Mae'n rhaid i chi weithio allan sut mae petha'n plethu i'w gilydd, ac mae 'na dwtsch o *whodunnit* yn y stori hefyd.

MIRAIN: Dwi wrth fy modd yn gweld ffilmiau, ac yn mynd i'r theatr – dwi'n licio gweld pobol eraill yn perfformio, a'r perfformiad cyfan sy'n fy nenu i, yn hytrach nag un enw mawr yn arbennig. Dwi wedi cael siom nifer o weithiau wrth weld enwau mawr yn perfformio'n sâl ar lwyfan – actorion operâu sebon yn gwneud joban giami mewn sioeau cerdd ac ati.

Dylan Rowlands

Breuddwyd Noswyl Ifan (A Midsummer Night's Dream)
Theatr Gwynedd, Ebrill 2000. Mirain fel Helena.

Ar ôl deud hynny, mae enwau fel Julia Roberts neu rywun fel'na yn ddigon i 'nenu i i weld ffilm arbennig. Dwi ddim yn darllen cymaint ag y dylwn i, o ran y pleser pur o ddarllen, gan bod wastad gen i betha i'w darllen o ran gwaith, ond mae gen i lyfra ar y gweill o hyd. Dwi'n mwynhau bywgraffiadau ar y funud, a dwi'n darllen pob math ohonyn nhw – Anthony Hopkins, Victoria Beckham. Ar hyn o bryd, dwi'n trio darllen llyfrau ar actio a llwyfannu, a thechnegau gwahanol. Dwi yng nghanol llyfr gwych gan Peter Barkworth – *The Complete Book About Acting*. Hwnna ydi Y LLYFR ar y funud, a dwi'n deud wrth bawb amdano fo. Mae o mor hawdd i'w ddarllen, ac yn gneud gymaint o synnwyr. 'Sdim byd newydd yna; dydio ddim yn torri cwys newydd o gwbl, mae o jest yn deud yn union beth sydd angen ei neud, ac fel y dylid gwneud cyfweliad – yr hyn mae pobol yn disgwyl gennych chi. Mae'n braf darllen rhywbeth sy mor ffeithiol, ond sy efo math o *hype* ynddo fe hefyd. Dwi wrth fy modd yn darllen a pherfformio Shakespeare – yn y Gymraeg neu yn Saesneg; dwi ddim yn credu'i fod o'n colli dim wrth ei gyfieithu. Mae o gymaint o sialens i actor – mae cymaint o sŵn barddoniaeth yn y geiriau, a dach chi'n dilyn y diwn yma. Dwi'n mwynhau'r dadansoddi gynta, torri petha lawr, a chael pob dim o'ch blaen – dach chi'n gwybod sut mae o fod i gael ei ddeud, ond mae 'na lot o le i chwara efo'r geiriau hefyd.

CEFIN: Mae Shakespeare yn deall yr hen fyd 'ma'n well na neb, ac mae o wedi deud bob dim sy 'na i ddeud. Mae rhaid i ni i gyd wedyn ffeindio ffordd arall o ddeud be mae o wedi'i ddeud eisoes. Mae rhywun yn meddwl weithia 'i fod o wedi llwyddo, ac yna dach chi'n dod ar draws drama arall gan Shakespeare, ac mae o wedi'i ddeud o fan'na o'ch blaen chi. Mae o bron fel petai o wedi gosod rhyw sylfaen i gymdeithas feddwl. Roedd o'n gwybod sut oedd diddanu, hefyd, a sut i adrodd stori dda – a llwyddo i ddeud mwy nag un stori 'run pryd, a'u hail-ddeud nhw'n well y tro nesa. Hen ddiawl clyfar ydi o.

Oes 'na hoff fardd?

MIRAIN: Dwi'n licio barddoniaeth yn fawr. Mae Gerallt Lloyd Owen wedi bod yn ffefryn ers dyddiau ysgol – roedden ni'n astudio'i waith ar gyfer lefel A. 'Fy Ngwlad' yw'r ffefryn ers blynyddoedd – dwi'm yn meddwl yr aiff hi byth o'r *top ten*, ac mi fedra i 'i deud hi, bob gair ohoni, o dop fy mhen.

CEFIN: Fy hoff feirdd ydi R. Williams Parry, a T. H. Parry-Williams – o Ddyffryn Nantlle, wrth gwrs. A fy hoff gerdd, 'Dau Hanner' – 'Tybed fy mod i, o fi fy hun, yn myned yn iau wrth fyned yn hŷn' gan T. H. Parry-Williams, a'r soned 'Dychwelyd' – 'Ni wnawn, wrth ffoi am byth o'n ffwdan ffôl, ond llithro i'r llonyddwch mawr yn ôl'. Er nad ydi o, falle, ddim yn cyd-fynd yn llwyr efo be dwi'n credu ynddo fo, dwi'n licio sŵn y geiriau – mae o jest mor glyfar – T.H. – *what a guy!*

Beth yw eu chwaeth gerddorol?

MIRIAN: Dwi'n licio pob math o gerddoriaeth – mae o'n dibynnu ar y mŵd dwi ynddo. Mae cymaint o gerddorion yn y tŷ lle dwi'n byw, a gartra hefyd, felly dwi'n gwrando ar bob math. Dwi'n hoffi canu pob math o gerddoriaeth hefyd. Mae gen i CDs jazz, Ella Fitzgerald, Billie Holiday, Frank Sinatra – dwi wrth fy modd yn gwrando ar y rheiny, ond dwi hefyd yn licio Destiny's Child, a'r clasuron. Taswn i'n gorfod dewis un math, siŵr mai jazz, a'r hen glasuron fydda'r ffefrynnau.

CEFIN: Mae'n chwaeth i mewn cerddoriaeth yn eang iawn, iawn. Dwi'n mwynhau harmoni clòs, a'r mawredd aruthrol yna sy gan Wagner yn *Tannhäuser,* a ballu, a dwi'n hoffi Vaughan Williams, a thynerwch Mozart. Fedra i ddim gwrando gymaint â hynny ar gerddoriaeth roc rŵan, ond pan mae o'n troi'n glasur, ac yn cael ei chwara'n ddigon amal, dwi'n ei fwynhau o. Mae caneuon roc yn cymryd amser, ond ar y llaw arall, pan o'n i yn y coleg, ro'n i, fel pawb arall, wedi gwirioni efo *Bohemian Rhapsody*, Queen. Pan o'n i'n hogyn bach, ro'n i'n licio'r Beatles, ac yn sticio 'ngwallt cyrls efo selotep i drio'i sythu fo i gael gwallt fel y Fab Four – ond *ping*, roedd o'n cyrlio'n syth! A rhaid cofio am Shirley Bassey, wrth gwrs – fy eilun i, a 'mhresant pen blwydd i'n hanner cant, gan Annette Bryn Parry, oedd tocynna i fynd i'w gweld hi'n perfformio'r llynedd yn Llangollen. Ro'n i'n aros yng ngwesty Bryn Hywel pan laniodd ei hofrennydd hi, ac mi ges i 'i llofnod hi. Dwi'n dwlu ar gerdd dant hefyd – dwi'n un o ffans mawr y grefft pan mae o'n cael ei wneud yn iawn, ond 'sdim byd gwaeth na cherdd dant sâl! Canu gwerin – dwlu arno fo; canu corawl – gwych, a dwi wedi dysgu gwerthfawrogi jazz, diolch i Einion Dafydd. Dwi wrth fy modd yn dewis cerddoriaeth i Lanaethwy a chyfuno pob math o betha.

Ydi crefydd yn bwysig iddyn nhw?

MIRAIN: Dydi crefydd ddim yn rhan bwysig o 'mywyd i ar y funud – falle bydd o ryw ddiwrnod, ond dwi YN gobeithio bod rhywbeth yn ein gwylio ni.

CEFIN: Mae gen i ofn crefydd, a dwi ddim yn gapelwr, bellach. Dydi o ddim oherwydd 'mod i wedi suro, na diffyg amser. Dwi'n gwneud amser i fy ochr ysbrydol, a does gen i ddim ofn trafod fy nghrefyddoldeb efo neb na dim. 'Sgen i ddim cywilydd o Nghristnogaeth o gwbl, ond dwi ddim yn medru 'i ddehongli fo'n dda iawn. Dwi'n meddwl bod y theatr yn gallu bod yn lle ysbrydol, a dwi'n meddwl bod gweithio efo cerddorion, a thrafod eich gogwydd ysbrydol, ar adegau, yn gallu bod yr un mor ysbrydoledig, ac yn gallu cyfoethogi'ch bywyd bron cymaint â mynd i eglwys neu gapel. 'Lle bynnag mae dau neu dri' mae Duw a Christ yn ddweud wrthan ni, a fedra i ffindio'r ddau neu dri unrhyw le. Dwi ddim yn meddwl bod mynd i'r capel yn profi'ch bod chi'n well neu'n waeth Cristion na rhywun sy'n dewis ei ddehongli fo yn rhywle arall, ac os ca i rywle i ddehongli fy Nghristnogaeth, mi wna i o. Capelyddiaeth a fi oedd yn clashio – falla fod o'n rhywbeth i wneud efo'r busnes sefydliad 'ma eto – dwi'n cymryd yn ei erbyn o – a sbiwch arna i rŵan yn y joban yma, yn creu sefydliad fy hun! Dwi wedi meddwl falla dylwn i chwilio mwy am le i ddehongli fy mywyd ysbrydol – mynd at y Crynwyr, at dawelwch; dwi angen gwneud hynny fwy yn fy mywyd. Dwi'n ymwybodol 'mod i ddim eto wedi cyrraedd yr hafan yna lle dwi'n teimlo'n hapus o fewn fy Nghristnogaeth, ond dwi'n gwybod 'i bod hi yna.

Beth maen nhw fwya balch ohono?

MIRAIN: Dwi wedi bod yn ffodus iawn ac wedi ennill nifer o wobrau yma yng Nghymru a thramor, dros y blynyddoedd. Dwi'n falch iawn i mi ennill Gwobr Llwyd o'r Bryn ac Ysgoloriaeth Bryn Terfel, a bues i'n llwyddiannus iawn yng Ngŵyl yr Urdd 2001. O ran perfformiadau, un o'r uchafbwyntiau personol oedd Eisteddfod Llangollen, pan enillais gystadleuaeth *Songs from the Shows*. Roedd gen i ryw wyth munud i wneud cyflwyniad o ganeuon.

Ennill eto – dramor y tro hwn. Tlws Cantores yr Ŵyl yng Ngŵyl Gerdd Ewrop – Bwlgaria, 1995.

Roedd Gethin, ffrind i mi, newydd farw ryw dridiau ynghynt – ar ôl syrthio mewn damwain ar ei wyliau. Fel y gallwch chi ddychmygu, do'n i ddim isio mynd i Langollen, ond dwedodd Mam wrtha i y dylwn i fynd a gwneud fy ngora. Mi es, ac roedd o'n brofiad emosiynol iawn. Ro'n i jest yn falch 'mod i wedi llwyddo i ddal y cyfan at ei gilydd ar y llwyfan. Roedd yr ennill y diwrnod hwnnw'n brofiad bythgofiadwy, ac arbennig iawn.

CEFIN: O sbio 'nôl ar yr hyn dwi wedi'i neud hyd yma, dwi'n meddwl mai Glanaethwy ydi'r peth pwysicaf. Mae'r criw ar eu gora pan maen nhw'n gneud cyngherddau mawr, neu pan maen nhw'n ennill yn Llangollen, neu'r Sainsbury Choir of the Year, neu Music for Youth. Nid yr ennill ydi o, ond y wefr o wbod bod chi wedi gwneud yr hyn oeddech chi isio. Pan dach chi'n sefyll o flaen chwe deg, neu gant, dau gant o bobol ifanc fel nethon ni efo Bryn Terfel yng Nghyngerdd Coffa Gethin, pan gawson ni'r Ysgol i gyd ar y llwyfan, mae'r gwres a'r egni'n eich llenwi chi fel arweinydd – mae o fel trydan yn eich deffro chi; mae o'n brofiad fydd gyda chi am byth. Mae nifer o'r rhieni wedi deud pa mor lwcus ydi'r plant eu bod yn cael gneud hyn. Dwi wastad yn deud wrth y rhieni pa mor lwcus ydan ni i'w cael nhw – maen nhw jest yn bleser pur. Mae 'na dristwch wedi bod, mae 'na brofedigaethau wedi bod, ac mae 'na hen feirniadaeth fach annifyr wedi bod ar adegau, ond maen nhw'n pylu mewn angof o'i gymharu â'r wefr dwi wedi gael.

Beth am eu gobeithion am y dyfodol?

MIRAIN: Jest medru gwneud bywoliaeth fel perfformiwr. Byddai'n braf rhywdro perfformio efo'r Royal Shakespeare Company neu rywbeth fel'na. Dwi ddim yn chwilio am enwogrwydd na dim byd felly, jest 'mod i'n mwynhau, a chynnal fy hun. 'Swn i'n licio cael fy adnabod fel actores dda, dim mwy na hynny.

CEFIN: Dwi ddim yn poeni rhyw lawer am fynd yn hŷn, achos rhaid i henaint ddod. Mae gen i ofn marwolaeth, fel nifer o bobol, ond dwi wedi byw bywyd llawn iawn. Dwi newydd ddarllen llyfr *Tuesdays with Moray* – seicolegydd yn ysgrifennu am ei farwolaeth, ac mae o wedi dysgu tipyn i fi – i beidio'i ofni fo gymaint, gan bod marwolaeth yn rhan naturiol o fyw. Mae mynd yn fethedig yn poeni rhywun, a dwi'n edmygu'n fawr y bobl hynny sy'n brwydro yn erbyn petha felly. Cyn belled ag y mae henaint naturiol yn y cwestiwn, dwi'n edrych ymlaen at y cam nesa – at agor y drws nesa, a gweld be sy y tu ôl iddo. Dwi'n gobeithio y ca i'r iechyd i weld Tirion a Mirain yn tyfu a chael plant eu hunain. Byddai'n braf cael weindio lawr rhyw ddydd, a chael amser i weld yr hen fyd 'ma – i ddarllen mwy, ac ehangu 'ngorwelion – dwi'n gobeithio y ca i ddigon o amser i wneud hynny rywdro, ond gan fy mod yn dipyn o *workaholic*, bydd hynny'n anodd tu hwnt! Mae 'na gyfnod cyffrous o 'mlaen i rŵan efo'r Cwmni Theatr Cenedlaethol, a dwi'n gobeithio y llwyddwn ni, fel y criw cynta 'ma, i osod sylfeini digon cadarn i'r dyfodol. Does dim rhaid i ni fod wedi dechra codi muriau, falla, tra byddwn ni yma, ond ein bod ni wedi gosod sylfaen i bobol eraill adeiladu arni hi. Fedrwn ni ddim disgwyl mwy na hynny. Fy nymuniad i Mirain ydi hapusrwydd yn ei bywyd personol. Yn ei bywyd proffesiynol, wrth gwrs, 'swn i'n licio iddi fod yn llwyddiant ysgubol, fel 'sa unrhyw berffomiwr naturiol yn deisyfu, ond dydi o ddim mor bwysig â'r ffaith ei bod yn hapus.

Shwd basen nhw'n licio cael eu cofio?

MIRAIN: Am fod yn ffrind da, fel rhywun nath drio'i gora ymhob dim, ac am fod yn 'hogan iawn'.

CEFIN: Dwi ddim yn poeni rhyw lawer am betha felly, chwaith. Mi ddysgodd Mam i fi erioed – paid â disgwyl dim yn ôl gan fywyd; dim ond i chdi roi i fywyd, mi gei di 'nôl gan fywyd. Roedd Wilbert yn deud hynny, hefyd, yn nyddiau Cwmni Theatr Cymru. Felly dwi ddim yn disgwyl dim, ond baswn i'n licio meddwl bod fy nheulu'n mynd i gofio amdana i'n annwyl a chariadus.

I gloi, beth am ddisgrifio'u hunain mewn tri gair.

MIRAIN: Hapus, bodlon a braf – dyna dwi'n anelu at fod, ac mi rydw i, ar y cyfan.

CEFIN: Emosiynol, perffeithydd, a galla i ddim meddwl beth fydda'r trydydd. 'Swn i'n licio meddwl 'mod i'n berson cariadus, ond pobol eraill fasa'n gorfod deud hynny. Dwi'n gallu bod yn anodd, felly, i fod yn onest, falle mai 'anodd' fydda'r trydydd gair.

A beth am ddisgrifio'i gilydd?

MIRAIN AM CEFIN: Athrylith, ffrind a gwallgo.

CEFIN AM MIRAIN: Talentog, ffyddlon a chariadus – dwi ddim isio ailadrodd fy hun, ond dyna ydi'r trydydd – mae'r cariad 'ma'n 'dod allan o'i *pores* hi', fel basan ni'n ddeud ym Mangor!

I Gloi

Go brin bod 'na unrhyw un yn y Gymru Gymraeg sy heb glywed am y teulu hwn – mae eu cyfraniad i'r byd perfformio yn amhrisiadwy. O oedran ifanc iawn, bu'r dwymyn berfformio yng ngwythiennau Cefin a Mirain, a bu'r ddau yn sêr ifanc iawn ar lwyfannau eisteddfod a chyngerdd. Perfformio oedd y diléit i'r ddau, ac mae'r naill a'r llall yn cyfaddef, heb flewyn ar dafod, nad oedd y byd academaidd yn apelio yn yr un ffordd, a bod y llwyfan wedi bod yn gartref cynnar a chyfforddus iddynt.

Er bod Mirain yn berffaith hapus ar lwyfan, mae ganddi ddiffyg hunanhyder mewn meysydd eraill – rhywbeth y byddai'n dymuno ei newid, ac mae'n edmygu'n fawr allu ei rhieni i fentro a thaflu eu hunain i mewn i brosiectau newydd.

Mae Cefin, bellach, wedi cefnu ar berfformio ac wedi troi ei sylw at drosglwyddo ei sgiliau i eraill – a mawr fu ei lwyddiant yn y maes hwn, gyda channoedd o bobol ifanc wedi elwa o'i allu a'i brofiad. Eto, mae'n cyfaddef taw Rhian, ei wraig, fu'r sbardun i'w prosiect mwya mentrus – Ysgol Glanaethwy – ac mae wrth ei fodd yn ei gweld hi wrth y llyw yno bellach.

'*Born in a trunk*' oedd geiriau mawr Hollywood ar un adeg am blant oedd wedi eu geni i fyd perfformio – wel, yn sicr, bu Mirain Haf yn un o'r rheiny a hithe bron iawn wedi ei geni ar lwyfan – yn llythrennol! Mae Mirain wedi etifeddu rhinweddau'r ddau riant, ac yn hapus i gydnabod ei dyled iddyn nhw. Mae Cefin, yntau, yn ddiolchgar am anogaeth ei fam, ac yn cydnabod dylanwad pobol fel Norah Isaac, John Gwilym Jones a Wilbert Lloyd Roberts. Bu rhaid i'r ddau weithio'n galed iawn i brofi eu hunain, a heb os, dros y blynyddoedd, mae'r ddau wedi gorfod dygymod â beirniadaeth a siom. Ond maen nhw wedi dysgu cymryd y *knocks*, ac mae'r ysfa i wneud eu gwaith cystal ag y medran nhw, wedi'u sbarduno ymlaen at lwyddiant. Nid yr ennill sy'n bwysig i'r ddau yma – er mor braf ydi hynny, ond gwneud yr hyn allan nhw, gore medran nhw, a mesur llwyddiant yn nhermau hapusrwydd.

Mae'r teulu'n bwysig, ac fel teulu maen nhw'n ffrindiau da, yn gefnogol i'w gilydd – beth bynnag yw dewisiadau'r unigolyn – ac yn falch o lwyddiant ei gilydd. Mae 'na gariad cryf a chadarn iawn yma, tuag at at ei gilydd, eu ffrindiau, at eu gwlad – ei diwylliant a'i thraddodiadau – at fyd y theatr, ac at eu proffesiwn.

Byddai'n rhwydd iawn i lwyddiant a sylw fynd i ben rhywun, ond mae Rhian a Cefin wedi rhoi cydbwysedd i'r teulu, sy'n golygu bod Tirion a Mirain yn bobol ifanc hoffus a chariadus, yn ogystal ag yn fodau llwyddiannus.

Go brin y byddai rhywun yn mentro crynhoi cyfraniad Cefin – byddai'r dasg yn amhosib, a gyda sialens newydd o'i flaen, bydd y cyfraniad hwnnw'n

cynyddu dros y blynyddoedd nesa, a phob llwyddiant iddo. Dim ond dechrau ar ei gyrfa y mae Mirain, ac eto mae hithe wedi hen wneud ei marc, ac yn torri ei chwys ei hun – byddai llwyfannau Cymru'n dlotach, ac yn wag iawn hebddi. Mae 'na ddyfodol disglair iawn o'i blaen, ac edrychwn ymlaen at ei gweld yn serennu ar lwyfannau'r West End yn y dyfodol agos.

Mae fy niolch i yn bersonol i Cefin a Mirain am gytuno i gael eu holi, ac am fod yn wrthrychau mor ddifyr – bu'n bleser mawr cael bod yn eu cwmni.

Un peth sy'n sicr – beth bynnag ddaw yn y blynyddoedd nesa, mi fydd y teulu yma'n ei wynebu fel ffrindiau, gyda'i gilydd, gyda gwên, sglein a chariad.

Dwy Genhedlaeth

£5.99

I ddod erbyn Nadolig 2004

£4.99 Dwy Genhedlaeth

Rhys Jones a Caryl Parry Jones